ANAYA | ESPAÑOL LE  JERA

 en *fonética*

Elemental A2

Las consonantes: sus correspondencias en otras lenguas

Fonema	T. fonética	Grafía	Español	Francés	Portugués	Italiano	Inglés	Alemán
/p/	[p]	p	pipa	père	painel	padre	open	Pollen
/b/	[b]	b, v, w	beso, vida	ballon	belo	borsa	abolition	Boot
	[b̞]		cabeza, ave	–	–	–	–	–
/m/	[m]	m	mano	maison	milho	mano	much	Mühe
/f/	[f]	f	fama	feu, photo	ferro	farina	few, photo	Faden, viel, Philosoph
/t/	[t]	t	tomate	tante	taful	tabacco	stupid	Ton, Rad
/d/	[d]	d	día	dire	doze	adesso	colder	du, undicht
	[d̞]		cada	–	–	–	then	–
/θ/	[θ]	z + a, o, u c + e, i	zapato cena	–	–	–	thank thin	–
/s/	[s]	s	santo	savoir	sapateiro	sicuro	essence	müssen, Strabe
/l/	[l]	l	lámpara	sol	leitura	luce	late	los, fallen
/r/	[r]	r	caro	–	coração	Roma	choral	Rose, knurren
/r̄/	[r̄]	r-, -rr-	radio, perro	–	–	arrivare	–	–
/n/	[n]	n	nata	nous	menino	nove	night	nehmen
/ĉ/	[ĉ]	ch	chorizo	–	–	dolce	choose	–
/y/	[y]	y	haya	–	–	–	–	–
	[ŷ]		cónyuge, yate	–	–	–	jacket	Jutta
/ḷ/	[ḷ]	ll	llave	–	malha	figlio	–	–
/ṇ/	[ṇ]	ñ	año	vigne	Espanha	montagna	–	–
/k/	[k]	c + a, o, u	cara, cosa, acuso	café	cartaz	cassa	cool	Chor
		qu + e, i	queso, aquí	qui	queijo	chimica	quiet	Quelle
		k	kilo, kiosco	képi	kilogramo	kayak	kilometre	Kind
/g/	[g]	g + a,o,u	gato, gorra, guante	gare guérir	galo	gatto	agony	gehen
		gu + e, i	guerra					
	[g̞]		hago, águila	–	–	–	–	–
/x/	[x]	j + a, o, u g + e, i	jamón, gitano	–	–	–	–	machen

CONSONANTES

Sin embargo, como habrás observado, no hay siempre una coincidencia perfecta entre fonemas, sonidos y letras; así:

INTRODUCCIÓN: FONEMAS, SONIDOS... LETRAS DEL ESPAÑOL

Todas las lenguas están constituidas por fonemas. Un fonema es un elemento abstracto, un sonido ideal, que solo existe en la imaginación de los hablantes de cada lengua; el fonema se representa entre barras //. Cuando hablamos convertimos esos fonemas en sonidos; los sonidos se representan entre corchetes [p]. Y cuando escribimos representamos esos fonemas en letras o grafías; las letras se representan sin barras ni corchetes (p). No siempre existe una coincidencia exacta entre fonemas, sonidos y letras: a veces incluso las distancias son muy grandes. Sin embargo, en español hay una gran correspondencia entre fonemas, sonidos y letras.

El español tiene veinticuatro fonemas, cinco vocálicos y diecinueve consonánticos. A cada uno de estos fonemas suele corresponderle un sonido y una letra o grafía, tal y como se puede ver en los cuadros siguientes:

Las vocales: sus correspondencias en otras lenguas

	Fonema	T. fonética	Grafía	Español	Francés	Portugués	Italiano	Inglés	Alemán
V O C A L E S	/i/	[i]	i, y	tío, rey	pipe	rir	pipa	police	mit
	/e/	[e]	e	teléfono	porter	cafeteira	estate	they	fehlen
	/a/	[a]	a	casa	part	cabelo	amore	hand	baden
	/o/	[o]	o	oso	peau, pot	avô	orso	low	komet
	/u/	[u]	u	uva	poule	untar	luna	fool, rude	Mutter

ÍNDICE

- **Ejercicios.** Se ofrece una amplia gama de actividades de menor a mayor grado de dificultad, que permiten desarrollar la comprensión auditiva y la pronunciación del alumno.

PARTES DEL LIBRO

- Introducción.
- Lecciones.
- Recapitulación. Ejercicios lúdicos que repasan los contenidos ortográficos y fonéticos, y una serie de actividades destinadas a la comprensión oral.
- Soluciones.

En todos los manuales se incluyen las **soluciones** de los ejercicios; de esta forma se constituye en una herramienta eficaz para ser utilizada en el aula o como **autoaprendizaje**.

Anaya ELE en pone al alcance del estudiante de español como lengua extranjera un material de trabajo que le sirve de **complemento a cualquier método.**

PRESENTACIÓN

Anaya ELE en es una colección temática diseñada para aunar teoría y práctica en distintos ámbitos de la enseñanza de Español como Lengua Extranjera. Su objetivo es ofrecer un material útil donde la teoría se combine de forma coherente con la práctica y permita al alumno una ejercitación formal y contextualizada a través de actividades amenas y variadas, teniendo en cuenta siempre el uso de los contenidos que se practiquen.

Esta colección se inició con un libro dedicado a los **verbos,** un **referente** destinado a estudiantes de todos los niveles.

Anaya ELE en es una serie dedicada a la **gramática,** al **vocabulario** y a la **fonética,** estructurada en tres niveles siguiendo los parámetros del *Plan Curricular del Instituto Cervantes (2007).*

Esta fonética se divide en secciones, destinadas al estudio del alfabeto, las vocales, las consonantes, la acentuación y la entonación, con las que el estudiante puede reforzar o mejorar sus conocimientos de fonética y también corregir —o autocorregirse— su pronunciación. La última parte es una recopilación de todo lo estudiado con textos para la comprensión auditiva.

ESTRUCTURA DE LA LECCIÓN

Cada lección consta de:

• **Estudia.** Ficha teórica que explica la manera de pronunciar las consonantes y su representación gráfica mediante un dibujo esquemático. En las vocales solo se representa el sonido.

Equipo de la Universidad de Alcalá

Dirección de la serie Anaya ELE (en) fonética: María Ángeles Álvarez Martínez

Programación: María Ángeles Álvarez Martínez
                Ana Blanco Canales
                María Jesús Torrens Álvarez

© Del texto: M.ª Pilar Nuño Álvarez, José Ramón Franco Rodríguez
             María Ángeles Álvarez Martínez (directora y coordinadora), 2002
© De los dibujos: Grupo Anaya, S.A., 2002
© De esta edición: Grupo Anaya, S.A., 2002
             Juan Ignacio Luca de Tena, 15 - 28027 Madrid

2.ª edición: 2008

Depósito legal: M-33.304-2008
ISBN: 978-84-667-7839-8
Printed in Spain
Imprime: Huertas Industrias Gráficas, S.A.

Equipo editorial
Edición: Milagros Bodas, Carolina Frías, Sonia de Pedro
Ilustraciones: Tomás Hijo
Cubierta: Taller Universo: M. Á. Pacheco, J. Serrano
Diseño de interiores y maquetación: Ángel Guerrero
Grabación: Texto Directo

ANAYA

ESPAÑOL LENGUA EXTRANJERA

fonética

M.ª Pilar Nuño Álvarez
José Ramón Franco Rodríguez

Elemental A2

Coordinado por
M.ª Ángeles Álvarez Martínez

• Un mismo fonema puede representarse mediante dos letras diferentes, como sucede en los siguientes casos:

fonemas	grafías
/i/	i, y
/b/	b, v
/θ/	c + e, i; z + a, o, u
/k/	c + a, o, u; qu + e, i; k
/x/	g + e, i; j

• Una letra puede representar a dos fonemas:

grafías	fonemas
c	/θ/, /k/
g	/g/, /x/
r	/r/, /r̄/
y	/i/ /y/

• La letra *x* del alfabeto no existe como fonema. Se pronuncia como [ks], [gs] o [s].

• Por último, la letra *h,* aunque se utiliza en la escritura, no representa ningún fonema.

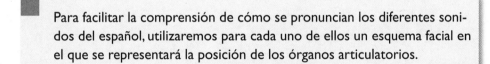

Para facilitar la comprensión de cómo se pronuncian los diferentes sonidos del español, utilizaremos para cada uno de ellos un esquema facial en el que se representará la posición de los órganos articulatorios.

ESQUEMA FACIAL
Órganos que se utilizan en la articulación de los sonidos

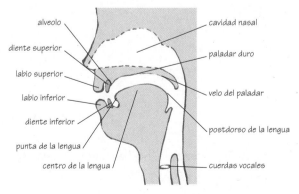

alveolo — diente superior — labio superior — labio inferior — diente inferior — punta de la lengua — centro de la lengua — cavidad nasal — paladar duro — velo del paladar — postdorso de la lengua — cuerdas vocales

Parte I

EL ALFABETO

El alfabeto

1 **Escucha y repite.**

A, a	B, b	C, c	D, d	E, e	F, f	G, g	H, h	I, i
a	be	ce	de	e	efe	ge	hache	i
J, j	K, k	L, l	M, m	N, n	Ñ, ñ	O, o	P, p	Q, q
jota	ka	ele	eme	ene	eñe	o	pe	cu
R, r	S, s	T, t	U, u	V, v	W, w uve doble	X, x equis	Y, y i griega	Z, z zeta
ere	ese	te	u	uve				

✔ *Estudia*

> El español tiene, además, algunas letras dobles:
> Ch, ch (che)
> Ll, ll (elle)
> Rr, rr (erre)

2 **¿Coincide el alfabeto español con el de tu lengua? Señala las diferencias y las coincidencias.**

....

....

....

....

....

....

....

....

....

(1: 2)

3 **Escribe los nombres de las letras que escuches.**

1. ………   6. ………
2. ………   7. ………
3. ………   8. ………
4. ………   9. ………
5. ………   10. ………

4 **Escribe y lee en voz alta las siguientes letras del alfabeto.**

k ………..   a …………
ch ………..   s …………
f ………..   o …………
d ………..   t …………
y ………..   l …………

5 **Ordena alfabéticamente las letras que aparecen en el recuadro.**

g k n o ll q r d f m t a ch j u x b ñ p r h c z v y rr e i l s w

…………………………………………………………………………………
…………………………………………………………………………………
…………………………………………………………………………………

6 **Deletrea las palabras siguientes.**

Ej.: *casa: ce-a-ese-a*

1. pescado: …………….   9. coche: …………….
2. cerezas: …………….   10. avión: …………….
3. ternera: …………….   11. aeropuerto: …………….
4. naranjas: …………….   12. tren: …………….
5. huevo: …………….   13. globo: …………….
6. taxi: …………….   14. barco: …………….
7. verduras: …………….   15. tranvía: …………….
8. jamón: …………….   16. motocicleta: …………….

■ **Léelas en voz alta.**

(1: 3)

7 **Escucha y escribe.**

1. ....   8. ....

2. ....   9. ....

3. ....   10. ....

4. ....   11. ....

5. ....   12. ....

6. ....   13. ....

7. ....   14. ....

■ **Lee las palabras en voz alta.**

8 **En parejas.**

1. Deletrea tu nombre y tu apellido a tu compañero.

....

2. Ahora, escribe el nombre y el apellido que deletrea tu compañero.

....

9 **Busca en esta sopa de letras cuatro palabras relacionadas con las profesiones.**

A	B	O	G	A	D	O	E
R	O	S	E	F	O	R	P
Q	X	L	K	C	Ñ	P	C
U	L	A	N	C	A	Z	LL
I	Q	O	V	S	K	X	J
T	A	H	C	Y	A	L	L
E	S	Z	X	I	S	R	R
C	R	D	Y	I	D	U	E
T	I	H	J	O	W	E	Q
O	B	C	Z	A	T	A	M

10 Sustituye cada letra por la que la sigue en el alfabeto y obtendrás el nombre de varios ríos españoles. Fíjate en el modelo.

Ej.: s z i ñ: *Tajo*

d a q ñ:

rr d f t q z:

ll z m y z m z q d rr:

c t d q ñ:

f t z ch z k p t h u h q:

11 Ordena alfabéticamente las siguientes palabras.

calle, sopa, tetera, biblioteca, pantalón, gota, zapato, abanico, jabón, uva, pescado, querido

....

....

....

....

12 En parejas.

Alumno A	*Alumno B*
Lee a tu compañero estas palabras.	**Escribe las palabras que lea tu compañero.**
aburrido chaqueta	....
botella hermano	....
calefacción España	....
Después, escribe las palabras que lea él.	**Ahora, lee estas palabras a tu compañero.**
....	Navidad divertido
....	fiesta vaso
....	montaña Japón

Parte II

LAS VOCALES

1 Fonema /a/

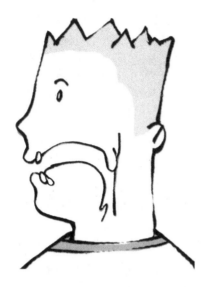

Realización de la vocal /a/

(1: 4)
 1 **Escucha y repite.**

ama, anda, alza, asada, andar, agarra, salsa, casa, vaca, batalla, mañana, araña, cámara, Málaga, cántara, sábana, mamá, más, sacar, charlatán

(1: 5)
 2 **Escucha y escribe.**

1. ....
2. ....
3. ....
4. ....
5. ....
6. ....
7. ....
8. ....

9. ....
10. ....
11. ....
12. ....
13. ....
14. ....
15. ....
16. ....

 ■ **Escucha de nuevo y repite.**

(1: 6)

3 Escucha y escribe las palabras que oigas.

....

....

....

4 Ordena las palabras de las frases siguientes.

sábanas lava las Ana

de manta mi blanca la es cama

trabaja en papá casa mañana cada

manzanas su Clara para asaba hermana

la está gata la en caja

■ Lee las frases en voz alta.

5 Busca en este dibujo palabras que contengan la vocal *a*.

2 Fonema /e/

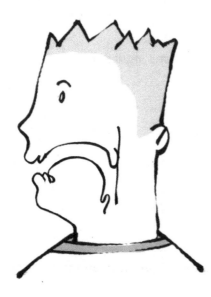

Realización de la vocal /e/

(1: 7)

1 Escucha y repite.

era, eco, ética, enano, ejemplo, ceja, pera, meta, bella, botella, nevera, escopeta, abeja, acera, azucena, mujer, escoger, ven, café, clavel

(1: 8)

2 Escribe las palabras que oigas.

....

....

(1: 9)

3 Escucha y repite.

pela / pala	peso / piso
queda / cada	lela / lila
bella / valla	pera / pira
meta / mata	legar / ligar
reta / rata	rezar / rizar

> **Fíjate:** en español hay muchas palabras que cambian de significado si cambias la vocal. Es muy importante que pronuncies bien las vocales.

(1: 10)

4 **Escucha y escribe.**

....

....

■ **Graba tu pronunciación.**

(1: 11)

5 **Escucha y completa.**

p...p...l...r..., c...r...c o l, c...r n... d... v...c..., p...p...l d... s...d...,

s...r t...n...s, c...l...m...r...s, ...l...g...n t..., v...n g o d... B...r c...l

o n..., p...s...t..., ...l b...r g u..., ...m p...n...d...

6 **Escribe *a* / *e*. ¿Se trata de la misma palabra? Búscalas en el diccionario. Después, lee los pares en voz alta.**

cab...llo / cab...llo   p...lo / p...lo

r...ja / r...ja   p...so / p...so

m...sa / m...sa   d...do / d...do

7 **Escribe *e* / *i* y *e* / *a*. ¿Varía el significado de cada palabra? Búscalas en el diccionario. Después, lee los pares en voz alta.**

Ej.: p...*lota: pelota / pilota*

p...so: ....   t...la: ....

m...rcado: ....   p...sado: ....

p...ca: ....   m...sa: ....

mon...da: ....   garrot...: ....

r...za: ....   t...a: ....

r...ja: ....   r...ta: ....

8 **Adivina, adivinanza. Resuelve la adivinanza y explícala.**

En el medio del cielo estoy

sin ser luna ni estrella,

¿a que no sabes quién soy?

3 Fonema /i/

Realización de la vocal /i/

(1: 12)
 1 **Escucha y repite.**

hijo, isla, ira, imaginar, indicar, cita, chiste, tímido, ciprés, fideo, pisada, sombrilla, ceniza, pellizco, alhelí, iraní

(1: 13)
 2 **Escribe las palabras que oigas.**

....

....

(1: 14)
 3 **Escucha y repite.**

Miño / maño	villa / bella
risco / rasco	siso / seso
quinto / canto	riza / reza
mito / mato	dije / deje
pisa / pasa	ligado / legado

(1: 15)
 4 **Escucha y corrige.**

cabezota: ...., tejado: ...., sanatorio: ....,

peseta: ...., pelota: ....

5 Cambia *a* / *i, e* / *i*. ¿Se trata de la misma palabra? Búscalas en el diccionario. Después, lee los pares en voz alta.

Ej.: *c...rco: circo / cerco*

can...lla: ....   apl...que: ....   p...ra: ....

r...ma: ....   p...tada: ....   r...zar: ....

p...cador: ....   l...gado: ....   p...sado: ....

esqu...la: ....   f...cha: ....   c...rro: ....

(1: 16)

6 Escucha y completa con las vocales correspondientes.

M... h...j... v...v... ...n M...dr...d.

L... ...gl...sia ...st... ...n l... ...v...n...d... d... C...rv...nt...s

R...t... ...st... ...n ...l s...p...rm...rc...d... Tien... qu... c...mpr...r:

...n... p...ñ..., ...lb...r...c...qu...s, p...p...n...s y m...nt...qu...lla...

7 Escribe el nombre de objetos de la clase que tengan la vocal *i*.

....

....

8 Busca en esta sopa de letras cinco palabras que tengan la vocal *i*.

H	I	G	U	E	R	A	I	I
A	D	A	E	I	I	Z	H	L
D	I	N	D	I	O	S	P	I
A	O	Y	A	I	K	S	T	I
R	T	S	L	I	I	L	K	O
I	A	S	H	I	J	O	I	A
L	O	R	I	I	U	R	P	D
B	O	L	S	I	L	L	O	E
J	I	O	Q	I	Y	A	W	U
H	F	G	I	I	E	O	I	U

4 Fonema /o/

Realización de la vocal /o/

(1: 17)

1 **Escucha y repite.**

oj**o**, **o**rden, h**o**ja, r**o**str**o**, c**o**sa, r**o**t**o**, c**o**ntent**o**, ch**o**riz**o**, c**o**leta, red**o**nd**o**, h**o**rr**o**r**o**so, past**o**ra, g**o**l**o**so, c**o**l**o**r, jam**ó**n, cal**o**r, p**o**lvor**ó**n, r**o**sc**ó**n, jab**ó**n, pr**o**nt**o**, chalec**o**, **o**ído

(1: 18)

2 **Escribe las palabras que oigas.**

....
....
....

(1: 19)

3 **Escucha y completa las palabras. Después, léelas en voz alta.**

h…mbr…   s…nc…ll…

s…ll…n   …st…rnud…r

s…br…n…   …ch…

c…lz…nc…ll…s   p…qu…ñ…

r…c…g…r   …m…r…ll…

s…mbr…r…   l…br…

d…s…yun…

-26-

4 Busca en el dibujo palabras que tengan la vocal o.

(1: 20)

 5 Escucha y completa.

p...l... / p...l...   p...s... / p...s...

m...z... / m...z...   g...t... / g...t...

m...t... / m...t...   p...c... / p...c...

h...mbr... / h...mbr...   ...j... / h...j...

c...s... / c...s...   t...r... / t...r...

r...t... / r...t...   l...s... / l...s...

■ Lee los pares en voz alta.

(1: 21)

 6 Escucha el texto y escríbelo. A continuación, léelo en voz alta.

....

....

....

....

5 Fonema /u/

Realización de la vocal /u/

(1: 22)

 1 **Escucha y repite.**

luna, duro, gruta, uña, único, úlcera, bufanda, chupete, culebra, insulto, lechuga, lanudo, insular, documento, confusión, avestruz, azul, tisú, espíritu, tribu, cónsul

(1: 23)

 2 **Escucha y repite.**

uve / ave	puso / poso
cuna / cana	fruto / froto
puñal / pañal	estufa / estofa
nube / nave	churro / chorro
cuba / cava	burdo / bordo

(1: 24)

 3 **Escucha y escribe.**

1.	7. ....
2.	8. ....
3.	9. ....
4.	10. ....
5.	11. ....
6.	12. ....

(1: 25)

4 **Escribe las palabras que oigas.**

....

....

(1: 26)

5 **Escucha y corrige.**

brota: ....   sople: ....

gastar: ....   osada: ....

cabezada: ....   cañada: ....

6 **Cambia *a* / *u, o* / *u*. ¿Se trata de la misma palabra? Busca su significado en el diccionario. Después, lee los pares en voz alta.**

Ej.: *m...ro: moro / muro*

m...lo: ....so: ....

p...ño: ....   gr...mo: ....

h...cha: ....   p...pa: ....

7 **Con la ayuda del diccionario, escribe cuatro palabras que tengan:**

-*u* en la primera sílaba (ej.: *cuna*): ....

....

-*u* en la segunda sílaba (ej.: *cintura*): ....

....

8 **En parejas. Piensa una frase y escríbela sustituyendo todas las vocales por *u*. Ahora, léesela a tu compañero; él deberá poner correctamente las vocales.**

Ej.: *Pupu ustú un ul bur* ⇨ *Pepe está en el bar.*

....

....

....

....

9 **Escucha y completa con las vocales que faltan.**

1. ...l s...l s... ...sc...nd... d...tr...s d... l...s n...b...s.

2. ...l c...ch... d... P...p... ...st... p...nt...d... d... ...z...l.

3. L... l...n... ...p...r...c... p...r l... n...ch...

4. L...s n...ñ...s v...n ...l c...mp... c...n s...s p...dr...s.

5. L...s t...j...d...s y l...s t...rr...s d... ...lc...l... ...st...n
   ...c...p...d...s c...s... t...d... ...l ...ñ...o p...r l...s
   c...gü...ñ...s.

10 **Descifra este mensaje. Cada signo corresponde a una vocal.**

H%y un t~s<r< ~n l% pl%z% d~ C~rv%nt~s. H%y much< din~r<. Est% ~ntr~ l% ~st%tu% d~ Migu~l y un% fu~nt~. Un %rb<l l~ d% s<mbr%. ¡%hí ~st%!

11 **Ordena las vocales para que las palabras tengan sentido.**

Ej.: *Moxéci: México*

Danamirca:	dintaste:	meñacu:
Bilgacé:	profoser:	obagoda:
nutarelaza:	langltarre:	aroje:
ergAntani:	vandodere:	niraz:
cobella:	pasteña:	begoti:

12 **Escucha el texto y escríbelo.**

....

....

....

6 Diptongos

✔ *Estudia*

Se llama diptongo a la unión en la misma sílaba de las vocales *i, u* con *a, e, o,* y también de *a, e, o* con *i, u;* de *i* seguida de *u* y de *u* seguida de *i.* Por lo tanto, en español existen los siguientes diptongos: *ia, ie, io, iu; ua, ue, uo; ui, ai / ay, ei / ey, oi / oy, au, eu, ou.*

✔ *Recuerda*

Diptongos **ia, ie, io, iu:**

i + a, e, o, u

> Pueden formarse diptongos mediante la unión de vocales de palabras diferentes.

(1: 29)

 1 **Escucha y repite.**

v**ia**je, ha**cia**, fe**ria**l, rab**ia**, p**ia**doso, mi_**a**miga

v**ie**jo, s**ie**mpre, inv**ie**rno, b**ie**n, m**ie**l, mi_**h**ermana

imper**io**, id**io**ma, nac**io**nal, id**io**ta, limp**io**, casi_**o**scuro

c**iu**dad, v**iu**da, tr**iu**nfo, d**iu**rno, solár**iu**m

(1: 30)

 2 **Escucha y repite. Observa cómo cambia el significado.**

A**sia** / asa	n**ie**to / neto	pat**io** / pato
tap**ia**do / tapado	c**ie**lo / celo	ind**io** / Indo
al**ia**do / alado	D**io**s / dos	v**iu**da / vida

-31-

3 Escucha y completa las palabras con un diptongo. Luego léelas en voz alta.

(1: 31)

ital…no, crist…no, suc…, ser…dad, armar…, igles…,

depend…nte, d…r…, movim…nto, ayuntam…nto

(1: 32)

4 Escucha y repite.

En Asia son muy apreciadas las especias.

Mi hermano va de viaje hacia Soria.

Los idiomas oficiales de España son cuatro.

Mi amigo Antonio estudia biología.

En invierno la hierba está seca.

Al viejo le duele una pierna.

La viuda se dirige al acuárium.

 Recuerda

> Diptongos **ua, ue (üe), ui (üi), uo:**
>
> u + a, e, i, o

(1: 33)

5 Escucha y repite.

guapa, cuatro, agua, igual, lengua, espíritu abierto

bueno, suelo, abuela, ciruela, jueves, cigüeña, su enemigo

juicio, lingüístico, ruido, ruinas, cuidado

antiguo, duodécimo, ambiguo, acuoso, sinuosa

(1: 34)

6 Escucha y lee.

agua / haga	suave / sabe
contiguo / contigo	acuosa / acosa
Luisa / Lisa	muy / mi
tuerca / terca	huella / ella

(1: 35)

7 **Escucha y completa las frases; a continuación léelas en voz alta.**

C...ndo el río s...na, ag... lleva.

El ag... de G...dalajara es b...na para la salud.

Mi amiga J...na vive en el c...rto.

Los h...vos podridos h...len mal.

Los niños s...cos s...len ser rub...s.

En 1969 el hombre dejó su h...lla en la Luna.

L...sa es m... c...dadosa con sus estud...s.

Las r...nas romanas del teatro de Mérida son m... famosas.

El canto de los r...señores es m... dulce.

Vivo en el casco antig... de la c...dad.

N...stro amor es mut....

8 **Busca en esta sopa de letras cinco palabras con diptongo relacionadas con la casa.**

H	T	P	A	T	I	O	R	E	S
S	A	R	Q	Y	U	P	K	B	U
Ñ	J	B	U	O	N	V	N	A	E
M	V	W	I	A	A	S	D	K	L
I	Y	N	Z	T	A	C	I	Ñ	O
A	Ñ	O	C	U	A	D	R	O	U
F	H	Q	E	L	S	C	O	X	I
W	E	Y	R	Y	F	Q	I	Z	H
A	G	U	A	E	V	X	H	O	D
T	E	L	E	V	I	S	I	O	N

✔ *Recuerda*

> Diptongos **ai / ay, ei / ey, oi / oy:**
>
> a, e, o, + i

(1: 36)

 9 Escucha y repite.

aire, baile, paisaje, hay, vais, la_iglesia

reina, peine, ley, reino, jersey, me quiere_igual

soy, boina, oigo, heroico, gasoil, niño_imprudente

> **ay, ey, oy** son diptongos que aparecen al final de una palabra.
> Ej.: *soy,* no *soi

10 Lee y repite.

paisaje / pasaje	peinar / penar
hoy / o	gaita / gata
veinte / vente	doy / do

> **Fíjate:** la **y** suena como vocal, lo mismo que la **i.**

11 Corrige los diptongos erróneos de las frases siguientes; a continuación, léelas en voz alta.

Hai un bonito paysaje donde no existe ruydo.

Haice vinte aiños mi madre me pynaba el peilo.

Hoi hay un bale y yo balaré con Luysa.

✔ *Recuerda*

> Diptongos **au, eu, ou:** a, e, o + u.
>
> Fíjate en cómo pronuncia tu profesor.

> **Fíjate:** hay pocas palabras con diptongo **ou.**

(1: 37)

 12 Escucha y repite.

jaula, aula, fauna, causa, Aurora, aumentar, autobús, esta_universidad,

Europa, reunión, neumonía, neumático, deuda, Ceuta, ambiente_urbano,

bou, lo_usó

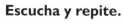

(1: 38)

13 Escucha y lee las siguientes palabras en voz alta. Luego búscalas en el diccionario.

sauna / sana   causa / casa

aula / ala   Eulogio / elogio

pausa / pasa   Ceuta / zeta

(1: 39)

14 Escucha y repite.

Laura hace una pausa.

El automóvil lleva ruedas de caucho.

La deuda de Eugenio es de treinta euros.

El Cou era un curso de acceso a la universidad.

(1: 40)

15 Escucha y completa con los diptongos y las vocales que sean necesarios.

...tor   c...s...

P...la   d...da

l...mp...ra   c...na

s...dón...mo   ...r...vis...n

...rbol

(1: 41)

16 Escucha y completa con los diptongos adecuados.

Yo vivo f...ra de la c...dad en una casa que t...ne un pat..., un jardín y un pequeño h...rto. ...nque es mi madre habit...lmente qu...n lo c...da, mi padre y yo tamb...n la ayudamos de vez en c...ndo. En el jardín h... un enorme l...rel, arr...tes en donde crecen v...letas y pensam...ntos. En el pat..., una enredadera trepa por una reja de h...rro, y los geran...s y las petun...s lo llenan de color. En los días lluv...sos las plantas se v...lven de un verde m... intenso, y un s...ve olor a t...rra mojada lo llena todo.

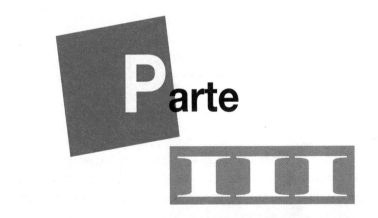

Parte

III

LAS CONSONANTES

CORRESPONDENCIA ENTRE LAS LETRAS Y LOS FONEMAS CONSONÁNTICOS

LETRAS	FONEMAS	EJEMPLOS
B, b	/b/	beso
C, c	/θ/, /k/	cinco, casa
Ch, ch	/ĉ/	chocolate
D, d	/d/	dado
F, f	/f/	feo
G, g	/g/, /x/	gato, gente
H, h	——	
J, j	/x/	jamón
K, k	/k/	kilo
L, l	/l/	lado
LL, ll	/ļ/	llave
M, m	/m/	madre
N, n	/n/	no
Ñ, ñ	/ņ/	niño
P, p	/p/	padre
Q, q	/k/	queso
r	/r/	pera
R, r, rr	/r̄/	rojo, perro
S, s	/s/	sal
T, t	/t/	tarde
V, v	/b/	vasco
W, w	/b/	Wenceslao
X, x	——	
Y, y	/i/, /y/	voy, yate
Z, z	/θ/	zapato

La h en español aparece en la escritura pero no se pronuncia. Por ejemplo, **hora** se pronuncia [óra].

La x no existe como fonema, pero se pronuncia como /k/ o /g/ + /s/. Por ejemplo, **taxi** se pronuncia [táksi] o [tágsi].

No hay una correspondencia exacta entre letras y fonemas*; un mismo fonema puede representarse en la escritura con más de una letra (como /k/, para el que se utilizan las letras c, qu, k) y al contrario, dos o más letras pueden pertenecer al mismo fonema (como b, v, w, que corresponden al fonema /b/).

*Un fonema es un elemento abstracto que se realiza por medio de un sonido. En la escritura se coloca entre barras / /. Un sonido es lo que se oye cuando se pronuncia un fonema vocal o consonántico. En la escritura se coloca entre corchetes [ ].

Nota: No vamos a estudiar las consonantes siguiendo el orden alfabético, sino el punto de articulación, es decir, el lugar de la boca en el que se pronuncia cada una de ellas.

Fonema /p/

✔ *Estudia*

> /p/, letra: **P, p.** Se pronuncia cerrando completamente los dos labios, impidiendo momentáneamente la salida del aire.

Realización de /p/

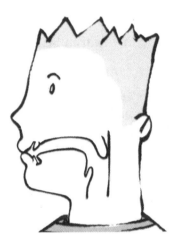

(1: 42)

Escucha y repite.

pintor, piloto, padre, pala, pelota, pollo, puente, puño

papá, papel, suponer, tapón, capa, especial, respirar

prisa, prado, precio, pregunta, problema, prueba, primero

planta, plato, plegaria, pliegue, plomo, pluma, plural

aprobar, sorpresa, ciprés, comprender, comprar

complicado, empleo, súplica, múltiple, aplique

(1: 43)

Escucha y completa con *p/pr/pl.*

tí...ico , ta...ete, ...avor, cam...amento,   es...ada, ...isa,   gol...e,

de...orte, co...a, tem...ado, ce...illo, tem...ano

■ **Lee las palabras en voz alta.**

3 Escoge productos de este mercado que tengan la letra *p;* después, lee las palabras en voz alta.

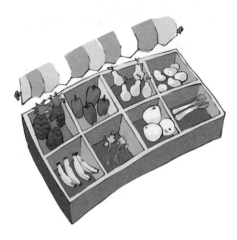

(1: 44)

 4 Escucha y marca las palabras que oigas.

prisa / pisa

desplegar / despegar

replicar / repicar

platito / patito

pluma / puma

presa / pesa

plaga / paga

plasta / pasta

Presta atención:
como en el caso de las vocales, si cambiamos una consonante por otra o quitamos una de ellas, encontramos una palabra distinta.

(1: 45)

 ■ Ahora, escucha y repite.

 5 Lee las siguientes frases.

Papá fuma en pipa.

Mi primo le pone pimientos a la paella.

Hay que echar los papeles en la papelera.

España es un país muy especial.

 6 Escribe tres frases con palabras que tengan la letra *p* en la segunda sílaba.

Ej.: *Pepe pinta una capa con el lápiz.*

....

....

....

2 Fonema /b/

✔ Estudia

/b/, letras: **B, b; V, v.** Esta consonante puede pronunciarse en español de dos formas:

– cerrando completamente los labios, como en el dibujo 1;

– acercando mucho los labios pero sin llegar a cerrarlos, como en el dibujo 2.

> La letra **v** se pronuncia como **b.**

1

Realización de [b] oclusiva

2

Realización de [b̶] fricativa

En el primer caso, la /b/ recibe el nombre de oclusiva; en el segundo, recibe el nombre de fricativa.

La [b] oclusiva aparece siempre después de pausa y detrás de las consonantes n o m. Suena más fuerte. Ej.: *ambos.*

La [b̶] es fricativa detrás de vocal y de consonante que no sea n o m. Suena más suave. Ej.: *ave, árbol.*

La oclusiva (fuerte) se representa como [b] y la fricativa (suave) se representa como [b̶].

✔ *Recuerda*

Fíjate: el grupo **-nv-** se pronuncia siempre como **-mb-**.

■ [b] oclusiva (fuerte) = pausa + *b, v* / *n, m* + *b, v*

(1: 46)
 1 Escucha atentamente y repite.

baño, **v**erde, **v**ino, **B**arcelona, **b**lusa, **b**ruja, hom**b**re, in**v**itado, en**v**idia, in**v**ierno, en **v**erano, un **b**arco

(1: 47)
 2 Escucha y escribe.

1. ....
2. ....
3. ....
4. ....
5. ....
6. ....
7. ....
8. ....
9. ....
10. ....
11. ....
12. ....

■ **Escucha de nuevo y repite.**

3 Escribe cuatro palabras con:

b-, v- iniciales:

....

br-, bl- iniciales:

....

n, m + *b, v:*

....

 4 Lee y graba tu lectura.

Visitamos Toledo en vacaciones.

Víctor es un gran inventor.

Te envío un beso.

Me han invitado a un baile de disfraces.

(1: 48)
 ■ **Escucha y corrige tu pronunciación.**

✔ Recuerda

[b̄] fricativa (suave) = vocal / consonante (no *n* / *m*) + *b, v*

(1: 49)

5 **Escucha y repite.**

pavo, favor, cerveza, cebolla, la vela, escribir, abrigo, obrero, albanés, hierba, desván, dos besos

6 **Escribe cuatro palabras con:**

-b-, -v- intervocálicas: ....

-br-, -bl- intervocálicas: ....

consonante (salvo *n, m*) + *b, v*: ....

(1: 50)

7 **Escucha y escribe.**

1.	9. ....
2.	10. ....
3.	11. ....
4.	12. ....
5.	13. ....
6.	14. ....
7.	15. ....
8.	16. ....

■ **Escucha de nuevo y repite.**

(1: 51)

8 **Escucha y completa con *b, v, br, bl*.**

Ponte el a...igo y la ...ufanda.

Lá...ate la ca...eza con ja...ón.

Te de...o la ...ida.

Toros ...a...os.

Me gusta tu ...usa ...anca.

 ■ **Graba tu lectura; escucha y corrige tu pronunciación.**

◆ CONTRASTE [b] OCLUSIVA Y [b̄] FRICATIVA

(1: 52)

 9 **Escucha y completa con [b] o [b̄]; después lee estas palabras.**

...a...ero, in...ierno, ar...usto, ...igote, ca...a, em...ajada, ...ár...aro, ...om...illa, ...or...ón, ca...ello

(1: 53)

 10 **Escucha y marca la palabra que oigas.**

brote / bote   ubre / uve

abre / ave   blanco / banco

brava / baba   blando / bando

breva / beba   cable / cabe

(1: 54)

 ■ **Escucha y repite.**

11 **Escribe dónde hay [b] y dónde [b̄] en las siguientes palabras.**

Ej.: *cebada: ceb̄ada*   cabra: ....   bienvenida: ....

burbuja: ....   breva: ....   selvático: ....

biberón: ....   inventar:.........   Pablo: ....

avellana: ....   subordinada: ....   nublado: ....

embrujar: ....   pólvora: ....   cobriza: ....

sinvergüenza: ....   la boda: ....   los bomberos: ....

■ **Dicta a tu compañero seis palabras que tengan [b] o [b̄]; intenta pronunciar bien. Después copia tú las palabras que él te dicte.**

1. ....   3. ....   5. ....

2. ....   4. ....   6. ....

12 Construye tres frases con [b] y [ƀ] y díctaselas a tu compañero. Luego copia tú las frases que él te dicte.

1. ....
2. ....
3. ....

◆ CONTRASTE *p* / *b*

(1: 55)

13 Escucha y repite.

pe / be   barco / parco
pipa / viva   vino / pino
poca / boca   vaso / paso
Pepa / beba   brisa / prisa
peso / beso   velo / pelo

(1: 56)

14 Escucha y escribe *p*, [b], [ƀ].

...ata / ...ata   ...ar / ...ar
...a...el / ...a...el   ...ollo / ...ollo
...erro / ...erro   ...ez / ...ez
...iña / ...iña   ...izca / ...izca
...o...a / ...o...a

 ■ Graba tu lectura; escucha y corrige tu pronunciación.

3 Fonema /m/

✔ *Estudia*

> /m/, letra: **M, m.** Se pronuncia cerrando los dos labios y dejando que el aire salga por la nariz, como se ve en el dibujo.

Realización de /m/

(1: 57)

🎧 **1** **Escucha y repite.**

mamá, mesa, marco, mar, medalla

amor, amigo, enemigo, cama, camisa

hombre, ombligo, campana, hambre, campo, álbum, currículum

(1: 58)

🎧 **2** **Escucha y escribe.**

....
....
....

■ **Lee en voz alta estas palabras.**

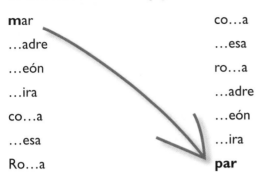

3 Escucha, escribe *m* o *p* y une con flechas los pares de palabras.

mar   co…a

…adre   …esa

…eón   ro…a

…ira   …adre

co…a   …eón

…esa   …ira

Ro…a   **par**

■ Lee en voz alta los pares de palabras.

4 Escucha y repite.

bala / mala   bazo / mazo

vida / mida   cava / cama

baba / mama   cabello / camello

5 Escucha y marca las palabras que oigas.

bombilla, mamífero, ámbar, impresora, cámara, cambio, mirilla, morcilla,

septiembre, emisora, semilla, mosca

6 Busca en esta sopa de letras cinco palabras relacionadas con objetos de la casa.

L	A	M	P	A	R	A	O
K	O	E	D	X	B	R	I
O	P	S	H	A	N	A	Y
P	Ñ	I	M	G	N	P	T
M	L	L	I	H	M	M	R
H	T	L	Q	C	K	A	W
Y	M	A	N	T	A	M	D
T	Y	Ñ	A	V	I	S	C
U	W	S	O	K	L	Ñ	P
Q	O	I	R	A	M	R	A

4 Fonema /f/

✔ *Estudia*

> /f/, letra: **F, f.** Se pronuncia acercando el labio inferior a los dientes superiores, como en el dibujo.

Realización de /f/

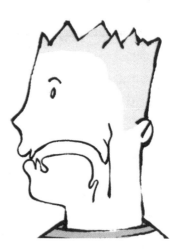

(1: 62)

1 Escucha y repite.

ficha, fecha, favor, foco, flamenco, flor, francés, fruta

afirmar, desfile, influencia, dentífrico, rifa, coliflor, reflexionar

2 Con la ayuda del diccionario, escribe cuatro palabras con:

f-, -f-: ....

fr-, fl-, -fr-, -fl-: ....

(1: 63)

3 Escucha y repite.

forro / borro	fino / pino	favor / pavor / babor
forja / Borja	foso / poso	foca / poca / boca
fruta / bruta	feo / veo	fino / pino / vino
frío / brío	fresa / presa	

(1: 64)

 4 **Escucha y completa con las consonantes que oigas.**

...eto / ...eto   ...anco / ...anco

...inar / ...inar   ...osa / ...osa

...az / ...az   ...risa / ...risa

...lan / ...lan   ...iar / ...iar

...oto / ...oto /...oto

 ■ **Graba tu lectura; escucha y corrige tu pronunciación.**

5 **Sopa de letras. Busca siete palabras que tengan f, p, b-v.**

E	F	N	E	N	F	A	D	A	D	O	N
G	I	B	A	H	O	J	Y	Q	S	N	Z
A	Q	P	T	E	F	X	V	E	O	A	F
A	V	T	E	L	O	B	N	N	L	R	E
R	Ñ	O	K	Ñ	Q	O	E	L	Ñ	E	Y
U	A	Ñ	V	C	I	L	L	Ñ	T	V	I
S	Q	S	H	C	H	A	L	B	O	V	P
A	C	I	A	A	J	Y	C	Z	E	L	O
B	C	C	S	B	K	E	Q	A	C	U	S
V	A	K	I	K	O	Q	Z	K	G	O	P
V	P	P	B	I	C	I	C	L	E	T	A

6 **Escribe dos frases que contengan las palabras de la sopa de letras.**

....

....

5 Fonema /t/

✔ **Estudia**

/t/, letra: **T, t.** Se pronuncia tocando con la lengua la parte posterior de los dientes superiores, tal como se ve en el dibujo.

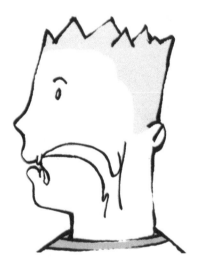

Realización de /t/

(1: 65)
 1 **Escucha y repite.**

tía, televisión, taza, torrija, tuyo, tierra, tiza
carpeta, pelota, parte, interés, entero, antena
tomate, tetera, tapete, tarta, tostón, tiesto
triste, tren, trabajo, trozo, trece, trapo
cuatro, matrícula, detrás, estrella, destrozar

(1: 66)
2 **Escucha y escribe.**

....

....

....

■ **Lee en voz alta las palabras que has escrito.**

3 Busca en la ropa que llevas puesta prendas que contengan la letra t, escríbelas y léelas en voz alta.

....

....

....

....

....

....

....

....

(1: 67)

4 Escucha y marca las palabras que oigas.

traza / taza   topa / tropa

trecho / techo   estés / estrés

potrito / potito   Estella / estrella

costra / costa   ataca / atraca

(1: 68)

■ Escucha y repite.

(1: 69)

5 Escucha y completa con tr o t.

a...evido   ...ueno   con...en...o

case...a   cos...a   cos...a

ros...o   ro...o   ...iran...es

...orpe   ...apo   ...ineo

■ Escucha de nuevo y repite.

(1: 70)

6 Escucha y repite.

¿Te gusta tomar el té con pastas?

Mi tío Tomás pasa las tardes viendo la televisión.

Marta trae las torrijas para sus invitados.

El tren de Toledo de esta tarde sale con retraso.

6 Fonema /d/

✔ *Estudia*

/d/, letra: **D, d.** Se pronuncia de dos maneras:

– apoyando la punta de la lengua detrás de los dientes superiores (dibujo 1);

– acercando la punta de la lengua pero sin que llegue a tocar los dientes (dibujo 2).

1
Realización de [d] oclusiva

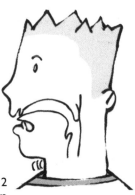

2
Realización de [đ] fricativa

En el primer caso, la /d/ recibe el nombre de oclusiva; en el segundo, recibe el nombre de fricativa.

La [d] oclusiva aparece siempre detrás de pausa y de las consonantes *n, l.* Suena más fuerte. Ej.: *conde, falda.*

La [đ] es fricativa detrás de vocal o de consonante que no sea *n* o *l.* Suena más suave. Ej.: *cada, arde.*

✔ *Recuerda*

[d] oclusiva (fuerte) = pausa + *d* / *n, l* + *d*

(1: 71)

1 Escucha y repite.

día, **d**isco, **d**ieta, **d**anés, **d**ar, **d**ebajo, **d**os, **D**rácula, **d**roga, **d**rama, fal**d**a, sol-

dar, con**d**e, an**d**ar, el **d**ato, un **d**iamante

2 Escribe cuatro palabras con:

d- inicial: ....

dr- inicial: ....

l, n + d: ....

(1: 72)

3 Escucha y escribe.

1. ....   9. ....

2. ....   10. ....

3. ....   11. ....

4. ....   12. ....

5. ....   13. ....

6. ....   14. ....

7. ....   15. ....

8. ....   16. ....

■ Lee en voz alta las palabras que has escrito.

4 Lee y graba estas frases.

Un diamante es para siempre.

Daniel se toma un caldo.

El dragón es un animal imaginario.

La sandía es una fruta refrescante.

(1: 73)

■ Escucha y corrige tu pronunciación.

✔ *Recuerda*

■ [đ] fricativa (suave) = vocal + d / consonante (salvo n, l) + d

5 **Escucha y repite.**

hada, codo, cerdo, estúpido, cuerda, sordo, padre, madrugar, los dedos, la dama

6 **Escribe cuatro palabras con:**

vocal + d: ....

consonante (salvo l, n) + d: ....

....

7 **Escucha y escribe.**

1. .... 9. ....

2. .... 10. ....

3. .... 11. ....

4. .... 12. ....

5. .... 13. ....

6. .... 14. ....

7. .... 15. ....

8. .... 16. ....

■ Lee en voz alta lo que has escrito.

8 **Escribe tres frases con palabras del ejercicio anterior; después, léelas en voz alta.**

....

....

....

◆ CONTRASTE [d] OCLUSIVA Y [đ] FRICATIVA

(1: 76)

9 **Escucha y escribe [d] o [đ] donde corresponda.**

Ej.: *dado: dađo*	un dedal:	mordisco: ....
caldo:	desde:	redondo: ....
adorno:	cordel:	maldad: ....
docena:	moderno:	Pedro: ....
conductor:	fondo:	cuadro: ....
estos días:	sueldo:	diez: ....

■ **Graba tu lectura; escucha y corrige tu pronunciación.**

(1: 77)

10 **Escucha y repite.**

rescoldo / recodo

moldear / modelar

caldera / cadera

toldo / todo

celda / ceda

(1: 78)

11 **Escucha, escribe y señala [d] o [đ] donde corresponda.**

1.	5. ....
2.	6. ....
3.	7. ....
4.	8. ....

(1: 79)

12 **Escucha y escribe [d] o [đ] donde corresponda; después lee las frases en voz alta.**

Me duelen mucho los dedos de los pies.

Duermo hasta muy tarde la mañana del domingo.

Deme dos kilos de dátiles.

Me he comprado una falda de color verde.

Vivo en la calle Conde de Floridablanca, número doce, segundo piso.

◆ **CONTRASTE** *t / d*

(1: 80)

 Escucha y repite.

te / **d**e	**d**orso / **t**orso
tía / **d**ía	**d**rago / **t**rago
taba / **d**aba	can**d**or / can**t**or
tejo / **d**ejo	**d**an / **t**an
tuna / **d**una	**d**ele / **t**ele

(1: 81)

 Escucha y escribe t, [d], [đ].

tor...a / tor...a	...ate / ...ate
Ma...rid / ma...riz	muer...o / muer...o
...en / ...en	...ardo / ...ardo
co...o / co...o	...iente / ...iente
...átil / ...áctil	...ejado / ...ejado
ca...a / ca...a	pi...a / pi...a

 ■ **Graba tu lectura; escucha y corrige tu pronunciación.**

7 Fonema /θ/

✔ *Estudia*

/θ/, letras: **Z, z** + a, e, i, o, u; **C, c** + e, i.
Se pronuncia colocando el ápice de la lengua entre
los dientes superiores e inferiores. Fíjate en el dibujo.

Realización de /θ/

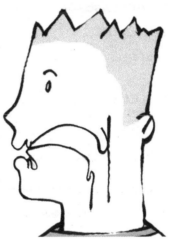

(2: 1)

1 **Escucha y repite.**

cine, **c**iprés, **c**inta, **c**inco, **c**ielo

cebolla, **c**ebra, **c**eguera, **c**eleste, **c**eja

zapato, **z**ambomba, **z**oológico, **z**urdo, **z**umo

á**c**ido, **c**eni**c**ero, **c**ere**z**a, a**z**teca

zenit, **z**éjel, **z**igurat, **z**ipi**z**ape

> **Cuidado:** en español
> se emplean muy poco
> **ze, zi** en la escritura.

(2: 2)

2 **Escucha y escribe c o z.**

a…u…ena	divor…io	ofi…ina
do…ena	a…úcar	…eni…a
…apatilla	en…ima	es…enario
en…endido	o…éano	ga…pacho
o…ono	po…o	pe…

■ **Lee estas palabras en voz alta.**

Lee las siguientes frases.

En los cementerios españoles crecen cipreses.

Me encantan los dulces pero no debo abusar del azúcar.

Los ascensores de los rascacielos suben los pisos de diez en diez.

(2: 3)

 Escucha y repite.

ceso / seso	sueco / zueco
cien / sien	asada / azada
corzo / corso	casa / caza
ceta / seta	abraso / abrazo
cepa / sepa	cosido / cocido

 Lee en voz alta.

–¿Qué haces?

–Cazos, ¿no oyes los martillazos?

Si cien sierras asierran cien cipreses,

seiscientas sierras asierran seiscientos cipreses.

(2: 4)

 Escucha y completa con s, c o z.

…a…erola	pe…adilla
…u…io	…epillo
pi……ina	adole……ente
a…ero	naturale…a
u…ado	tena…as
…etá…eo	…ervi…io

(2: 5)

 Escucha y escribe s, c o z.

Dentro de los …ines ya no hay …eni…eros.

Las pla…as andalu…as huelen a ro…as y a ja…mín.

En Gali…ia se u…an …uecos y no se utili…an …apatillas.

8 Fonema /s/

/s/, letra: **S, s.** Se pronuncia colocando el ápice de la lengua en la zona de los alveolos, como se ve en el dibujo.

Realización de /s/

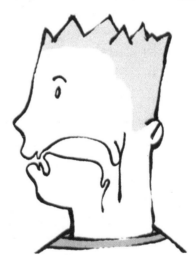

(2: 6)

1 Escucha y repite.

sala, silla, sol, siempre, suelo

casa, hermoso, beso, rosal, aseo

vestido, resfriado, pescado, mismo, musgo

jueves, mesas, portugués, tres, alegres

2 Lee en voz alta.

Mis amigas **S**ara y **S**usana **s**on france**s**as y e**s**tudiantes de e**s**pañol.

En el **s**alón de mi ca**s**a tengo un **s**ofá, do**s** **s**illones, una televi**s**ión, una me**s**a y **s**ei**s** **s**illas.

Soy **s**in **s**er,

ser **s**í **s**oy;

si **s**oy un **s**er,

sin **s**er **s**oy.

-59-

Escribe tres palabras con:

s + vocal: ....

vocal + s + vocal: ....

consonante + s: ....

-s final: ....

■ **Ahora, díctaselas a tu compañero para que él construya dos frases con cada una y escribe tú otras dos con cada una de las palabras que él te dicte.**

....

....

....

....

....

....

....

....

9 Fonema /l/

✔ *Estudia*

> /l/, letra: **L, l.** Se pronuncia situando el ápice de la lengua en los alveolos, como se ve en el dibujo.

Realización de /l/

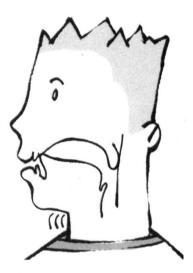

 (2: 7)

1 Escucha y repite.

limón, leche, lado, loco, luz

plisado, globo, blando, flamenco, clase

pala, peluca, cálido, rulo, piloto

falta, polvo, calcular, caldo, jilguero

mal, piel, cordel, árbol, señal

 (2: 8)

2 Escucha y completa.

Trae .... para ....

Ponte un .... jersey de ......

........., ¡este ...... está ....!

En ...... se quemó ...... vieja ....

■ **Lee las frases en voz alta.**

(2: 9)

3 **Escucha y marca la palabra que oigas.**

toldo / todo

caldera / cadera

moldear / modelar

rescoldo / recodo

celda / ceda

Alda / hada

4 **Escribe nombres de objetos de tu clase que tengan *l-, -l-* y *-l*.**

....

....

....

....

5 **Con la ayuda del diccionario, escribe cinco palabras con:**

pl: plaga,..

bl: blusa,..

gl: globo,..

cl: claro,..

10 Fonema /r/

✔ *Estudia*

> /r/, letra: **-r-, -r,** consonante (salvo *n, l, s*) + **r.**
> Se pronuncia tocando con el ápice de la lengua
> en los alveolos.

Realización de /r/

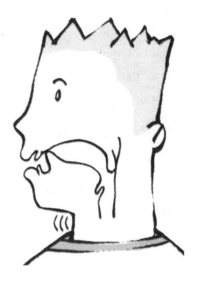

(2: 10)

 Escucha y repite.

ópera, cera, cara, pero, hora

prisa, brazo, triángulo, trece, crisis, dragón

perla, corte, perdón, arte, terminado

invitar, director, señor, alfiler, azúcar

2 **Lee las siguientes frases.**

El trigo en el mes de junio tiene un color amarillo dorado.

Sevilla es famosa por su Feria de Abril y por sus toreros.

El Puerto de Santa María es la cuna de **R**afael Alberti.

Los alumnos que no preparen los deberes para clase sacarán un cero.

El que parte y reparte se lleva la mejor parte.

(2: 11)

3 **Escucha y repite.**

pero / pelo	tira / tila	borda / boda
tordo/ toldo	cara / cala	tarar / talar
verte / vete	cardo / caldo	mar / mal
arce / alce	bar / va	ceros / celos
arma / alma	verso / beso	muro / mulo
pira / pila	borla / bola	lira / lila

(2: 12)

4 **Escucha y marca la palabra oigas.**

toro / todo	cara / cada
poro / podo	herida / herirá
mudo / muro	coro / codo
ara / hada	ceda / cera
hora / oda	llamara / llamada

(2: 13)

■ Escucha y repite.

5 **Busca cinco palabras con *r* en esta sopa de letras.**

T	O	R	E	R	O	S	G
H	R	T	V	A	B	N	E
C	I	C	Q	T	R	H	W
Ñ	R	Q	A	U	Ñ	R	A
G	A	Ŕ	S	R	W	I	R
B	D	F	R	F	E	H	K
K	E	R	T	S	Z	T	J
T	B	Ñ	S	I	X	R	A
P	E	R	F	D	P	E	R
O	R	E	R	B	M	O	S

(2: 14)

6 **Escucha y escribe.**

1. ....

2. ....

3. ....

■ Lee en voz alta las frases que has escrito.

11 Fonema /r̄/

✔ *Estudia*

/r̄/, letras: **R-, r-, -rr-, -nr-, -sr-, -lr-**. Se pronuncia haciendo vibrar varias veces el ápice de la lengua contra los alveolos.

Realización de /r̄/

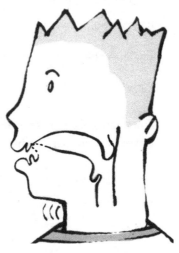

(2: 15)

1 Escucha y repite.

ropa, reja, raso, rubio, rabia

parra, erre, terror, correo, carro, los rizos

enredo, enriquecer, Enrique, sonrisa, israelí, alrededor

(2: 16)

2 Escucha y repite.

pero / perro	torero / torrero
coro / corro	carera / carrera
ara / arra	careta / carreta
mira / mirra	para / parra
caro / carro	moro / morro
rabo / lavo	helaba / erraba
perro / pelo	lisa / risa
erre / ele	roca / loca

(2: 17)

3 Escucha y completa con *r* y *l*. ¿Se trata de palabras diferentes?

...ío / ...ío

e...ar / he...ar

...obo / ...obo

a...a / a...a

ma...a / ma...a

...osa / ...osa

...eo / ...eo

ca...o / ca...o

...oncha / ...oncha

sa...o / sa...o

 4 **Lee en voz alta.**

El perro de San **R**oque no tiene **r**abo porque **R**amón **R**odríguez se lo ha **r**obado.

Enrique **r**egaló un **r**amo de **r**osas **r**ojas a **R**aquel.

Este fe**rr**oca**rr**il pasa por la **r**egión de La **R**ioja.

5 Inventa seis frases con palabras que tengan *r* múltiple y díctaselas a tu compañero. Luego escribe tú las que él te dicte.

....

....

....

....

....

....

12 Fonema /n/

✔ Estudia

/n/, letra: **N, n.** Se pronuncia colocando la punta de la lengua en los alveolos superiores dejando salir el aire por la nariz. Fíjate en el dibujo.

Realización de /n/

(2: 18)
  1 Escucha y repite.

nariz, **n**iebla, **n**ube, **n**ave, **n**oria

e**n**e, e**n**amorado, e**n**trar, ca**n**ció**n**, ci**n**ta

co**n**, si**n**, avió**n**, ta**n**, chapuzó**n**

2 Escribe tres palabras, utilizando el diccionario, con:

n-: ....

-n- (+ vocal o consonante): ....

-n: ....

(2: 19)
 3 Escucha y escribe *n* o *m* donde corresponda; luego lee las frases en voz alta.

Car...e... ce...aba co... su her...a...o ...a...uel.

A...to...io va a...da...do hacia la estació...

E... vera...o ...ada...os e... la pisci...a.

–¿Quié...es so... esos ...iños?

–So... los ...ietos de ...i tío Juliá...

(2: 20)

 4 **Escucha y marca la palabra que oigas.**

ama / **A**n**a**	e**n**e / eme
cama / ca**n**a	co**n**o / como
mama / **n**a**n**a	mi**n**ada / mimada
mi / **n**i	mido / **n**ido

■ **Lee en voz alta estos pares de palabras.**

(2: 21)

5 **Escucha y repite.**

lado / **n**ado	e**n**e / ele
pa**n**a / pala	ca**n**a / cala
lave / **n**ave	ga**n**o / galo

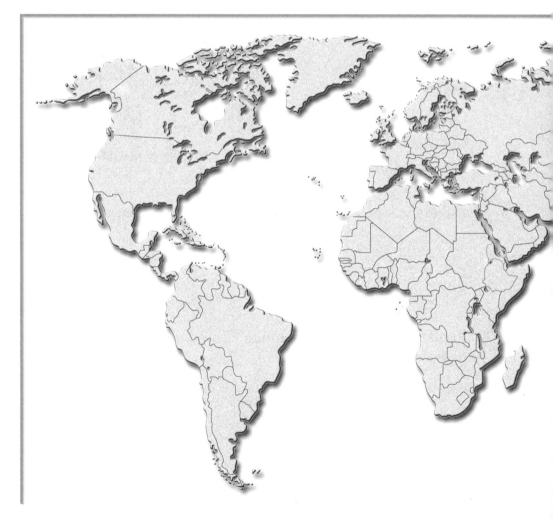

6 Descubre la palabra con la definición que te damos.

c...li...a: sinónimo de monte, cerro.

...all......a: el mamífero más grande del mar.

l.........: brilla en el cielo cuando es de noche.

...a...i...: por donde sale el aire cuando pronunciamos la *n*.

...o...b...e: nos lo ponen cuando nacemos.

7 Descubre las nacionalidades y después colócalas en el mapa.

canfrés: ....

nadés: ....

orunego: ....

anocreo: ....

saponéj: ....

nazolenave: ....

cejomina: ....

frisudacano: ....

■ **¿Conoces otras nacionalidades que contengan la letra *n*? Escríbelas y marca el país en el mapa.**

13 Fonema /ĉ/

✔ *Estudia*

/ĉ/, letra: **Ch, ch.** Se pronuncia tocando con la parte anterior de la lengua la parte anterior del paladar duro, como se ve en el dibujo.

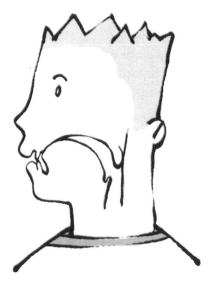

Realización de /ĉ/

(2: 22)

 1 Escucha y repite.

chillar, **ch**icano, **ch**eque, **ch**eco, **ch**orizo, **ch**ocolate, **ch**al, **ch**alado, **chu**rro, co**ch**e, diecio**ch**o, ra**ch**a, mu**ch**a**ch**o, cucuru**ch**o, per**ch**a, lon**ch**a, pon**ch**o

(2: 23)

 2 Escucha y completa las palabras que oigas.

......a...ue, ...a...e...e, ...alu......, ...u...o, ...o...olate, ...ula...,
e......u...e, ...uba...quero, ...o...a, a......o

3 ¡Cuidado! La *ch* se ha movido de su sitio! Intenta colocarla con ayuda del diccionario.

achrlar: ....   chcona: ....

faadcha: ....   pochno: ....

schalchia: ....   cochla: ....

eschcara: ....   Sanoch: ....

4 Lee en voz alta las siguientes frases.

¡Con**ch**i, arregla el en**ch**ufe!

A las **ch**icas **ch**ecas les gusta el **ch**ocolate.

La fa**ch**ada del **ch**alet de Mon**ch**o es muy an**ch**a.

5 En parejas. Escoge una palabra con *ch* y cambia esta letra por otra que tú quieras. Tu compañero intentará adivinarla. Procura que las palabras tengan más de dos sílabas.

Ej.: *enchufe: encufe - entufe - enfufe…*

14 Fonema /y/

✔ *Estudia*

/y/, letras: **Y, y; Hi, hi** + e.

Se pronuncia de dos maneras distintas:

– acercando la lengua al paladar duro pero sin llegar a tocarlo, como en el dibujo 1. Se representa como [y]. Se articula de este modo cuando aparece detrás de vocal o de consonante que no sean *n* o *l*; suena de forma suave. (Ej.: *mayo*).

– tocando con la lengua el paladar (dibujo 2).

Se representa como [ŷ]. Se pronuncia así cuando va precedida de pausa o de consonante *n* o *l*. Suena un poco fuerte. (Ej.: *enyesar*).

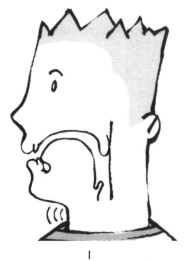

1
Realización de [y] fricativa

2
Realización de [ŷ] africada

(2: 24)

1 **Escucha y repite.**

[y]: mayo, payo, poyo, cayado, raya, suyo, rayo, payaso, mayordomo, mi yate, la hierba

[ŷ]: yegua, cónyuge, enyesar, inyección, con hielo, un yugo, el yerno, el yogur

(2: 25)

2 **Escucha y escribe y o hi.**

ma…úscula, pla…eras, …edra, re…es, tu…os, …erro, ma…or, …ena, le…es, plebe…o, …ema

(2: 26)

3 **Escucha y completa con [y] o [ŷ].**

los …ernos	mi …egua	el …eso
algunos …ugoslavos	un …erro	ma…ordomo
desa…uno	en…esado	re…erta

 ■ **Escucha de nuevo y repite.**

(2: 27)

4 **Escucha y repite.**

pollo / poyo	bollo / boyo
callado / cayado	valla / vaya
halla / haya	olla / hoya

¡Recuerda que son palabras distintas!

(2: 28)

5 **Escucha y completa con [y] o [ŷ]; después, lee las frases.**

La …egua resbaló en el …elo y se ca…ó.

Las lluvias de abril hacen a ma…o florido y hermoso.

La …ema del huevo es amarilla.

La valla que rodea mi casa está toda cubierta de …edra.

No es bueno andar por la arena de la pla…a sin pla…eras.

15 Fonema /ʎ/

✔ *Estudia*

/ʎ/, letra: **LI, ll.** Se pronuncia tocando con la parte central de la lengua en el centro del paladar.

Realización de /ʎ/

(2: 29)

1 **Escucha y repite.**

llamada, llorar, lluvia, llave, llano

pollo, collar, castellano, allí, callar

(2: 30)

2 **Marca la palabra que oigas.**

llavero, gallina, malla, medalla, silla, toalla, pellizco, llevar, rollo, paella

(2: 31)

3 **Escucha y repite.**

malla / mala	lana / llana
allá / Alá	cala / calla
hallada / alada	Camila / camilla
pilla / pila	Milán / Millán
sello / se lo	muele / muelle

Lee en voz alta y repite las siguientes frases.

El apellido **Ll**amazares es muy conocido en León.

Las **ll**aves de la casa de Mi**ll**án se me han caído por la calle.

La pae**ll**a de po**ll**o y el helado de ave**ll**ana son mis platos favoritos.

La **ll**uvia en Sevi**ll**a es una pura maravi**ll**a.

 Escribe cinco palabras que conozcas que tengan la letra _ll_. Luego díctaselas a tu compañero.

....

....

◆ CONTRASTE *ch* / *ll* / *y*

(2: 32)

 Escucha y repite.

bu**ch**e / bu**ll**e   ha**ch**e / ha**ll**e

ca**ch**a / ca**ll**a   e**ch**e / e**ll**e

ta**ch**a / ta**ll**a   ra**ch**a / ra**ll**a / ra**y**a

ba**ch**e / va**ll**e   ha**ch**a / ha**ll**a / ha**y**a

bi**ch**a / vi**ll**a   hu**ch**a / hu**ll**a / hu**y**a

7 **Busca siete palabras de la lección en esta sopa de letras.**

A	M	A	R	I	L	L	A	J
T	Q	Z	I	L	K	C	N	N
S	D	I	O	Y	A	T	E	D
J	P	O	L	E	I	H	L	L
Y	A	T	L	Z	O	X	L	L
P	X	L	N	K	D	V	E	D
T	A	C	M	A	Y	O	R	Q
V	F	Y	J	Ñ	U	K	H	A
M	A	Y	U	S	C	U	L	A

16 Fonema /ɲ/

✔ *Estudia*

> /ɲ/, letra: **Ñ, ñ.** Se pronuncia apoyando la parte anterior de la lengua en la parte anterior del paladar. El aire sale por la nariz. Fíjate en el dibujo.

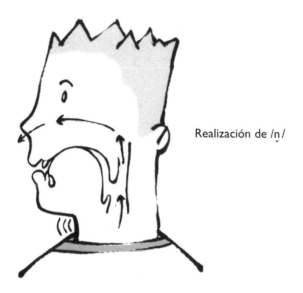

Realización de /ɲ/

(2: 33)

1 **Escucha y repite.**

ñoño, año, eñe, niño, engaño, pestaña, cañamón, cañón, uña, cuñada, pañal, añil, España, legaña

(2: 34)

2 **Escucha y corrige *n* o *ñ* cuando sea necesario.**

panuelo: ....   coloñia: ....   Antonio: ....

ninio: ....   moño: ....   carantoña: ....

cana: ....   limoñero: ....   punal: ....

ceñido: ....   demoño: ....   maño: ....

(2: 35)

3 Escucha y repite. Observa cómo cambia el significado de estas palabras.

caña / cama	sueña / suena	añejo / anejo
año / amo	maño / mano	ordeñador / ordenador
maña / mama	eñe / ene	moño / mono

4 Escribe tres frases en las que aparezcan las siguientes palabras:

mañana, Núñez, señor(a), niño(a), español(a), año, sueño, muñeca

....

....

....

....

(2: 36)

5 Escucha estas palabras y di en cuáles de ellas se han cometido errores de pronunciación.

España	Jordania	Chechenia
colonia	ponía	unió
uña	engaño	demonio
sueño	ingenio	legaña

1. Escribe frases con las palabras que has escuchado.

2. Graba tu lectura; escucha y corrige tu pronunciación.

17 Fonema /k/

✔ *Estudia*

/K/, letras: **C, c** (+ a, o, u); **Qu, qu** (+ e, i); **K, k.** Para pronunciar esta consonante, se coloca la parte posterior de la lengua en el velo del paladar. Fíjate en el dibujo.

Realización de /k/

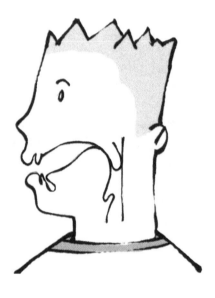

(2: 37)

 1 **Escucha y repite.**

cabeza, color, cuchara, colonia, coliflor

macuto, cerca, médico, zoco, disco

queso, quince, quemadura, querido, quijote

aquí, paquete, máquina, izquierda, chiquillo

cruz, cristal, crema, cráneo, crimen

escritor, describir, increíble, hipócrita

clase, clima, clásico, cloro, clavel

aclarar, incluir, esclavo, conclusión

kikirikí, kilómetro, kilo

(2: 38)

 2 **Escucha y completa con c, qu o k.**

...ijote   bar...o   tur...esa

...ími...a   o...ulista   o...re

mos...a   bu...e   ...o...eta

...o...odrilo   ...ilo   ...urdo

3 **Escribe tres palabras que tengan c + a, o, u; qu + e, i.**

....

....

....

 4 **Lee en voz alta.**

cerquísima, equitación, Cáceres, quiosco, roquero, recuadro, quinqué, quemadura, croqueta, cuesta, descripción

5 **Escribe palabras con las letras siguientes (todas tienen que tener el sonido [k]):**

c, s, o, v, a, m, e, r, n, i, ñ, u, l, qu, p, t

Ej.: *caro*

....

....

....

....

....

(2: 39)

 6 **Escucha y completa.**

El agua de Al...alá contiene mucho ...oro.

...audia, ...uando monta en bici...eta, siempre lleva ...as...o.

El ...eso manchego se hace ...on leche de va...a y de oveja.

...iero ...e te pongas una cha...eta.

Hoy voy a ...omer unas ri...ísimas ...ro...etas.

-79-

18 Fonema /g/

✔ **Estudia**

[g], letras: **g** (+ a, o, u); **gu** (+ e, i), **gü** (+ e, i). Se pronuncia, al igual que ocurre con /d/ y con /b/, de dos formas distintas:

– tocando con la parte posterior de la lengua el velo del paladar (dibujo 1);

– acercando la parte posterior de la lengua al velo del paladar sin tocarlo (dibujo 2).

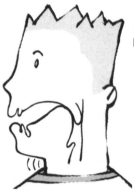

1
Realización de [g] oclusiva

Realización de [g̶] fricativa
2

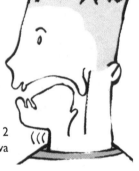

En el primer caso, la /g/ recibe el nombre de oclusiva (suena fuerte): se articula de este modo siempre que aparece detrás de una pausa y después de consonante *n*, como en *canguro, pongo*. Se representa como [g].

En el segundo caso, la /g/ recibe el nombre de fricativa (suena suave): se articula así siempre que aparece detrás de vocal y de consonante que no sea *n*, como en *juego, algo*. Se representa como [g̶].

✔ **Recuerda**

[g] oclusiva (fuerte) = pausa + g / n + g

-80-

(2: 40)

1 Escucha y repite.

goloso, **gu**apo, **g**allina, **gu**erra, **gu**itarra, en **G**ranada, **g**racioso, **g**rito, **gr**ueso, **g**lobo, **g**lorieta

con **gu**antes, fan**g**o, cín**g**ara, tan**g**o, ben**g**ala, nin**gu**no, sin **g**anas

2 Escribe tres palabras con:

g + a, o, u- iniciales: ....

gr-, gl- iniciales: ....

n + g: ....

(2: 41)

3 Escucha y escribe.

1.	9. ....
2.	10. ....
3.	11. ....
4.	12. ....
5.	13. ....
6.	14. ....
7.	15. ....
8.	16. ....

■ **Escucha de nuevo y repite.**

(2: 42)

4 Escucha y coloca en su sitio la [g] oclusiva. Después, lee las palabras en voz alta.

obiergno: ....; asoligna: ....; Inlaterrga: ....;
uangte: ....; ramgo: ....

✔ *Recuerda*

> [g] fricativa (suave) = vocal + *g* / consonante (salvo *n*) + *g*

(2: 43)

5 Escucha y repite.

agosto, fuego, hogareño, lugar, los gatos, cargo, pulgar, musgo, noviazgo, peregrino, sagrado, agresivo, iglú, regla, paragüero, el golpe, es gracioso

6 **Con la ayuda del diccionario, escribe cuatro palabras con:**

-g- intervocálica: ....

....

g + r, l: ....

....

consonante (salvo n) + g: ....

....

(2: 44)

7 **Escucha y escribe. A continuación, escucha de nuevo y repite.**

1. ....   9. ....

2. ....   10. ....

3. ....   11. ....

4. ....   12. ....

5. ....   13. ....

6. ....   14. ....

7. ....   15. ....

8. ....   16. ....

8 **Busca en esta sopa de letras los nombres de estos cinco dibujos.**

T	D	L	Ñ	Z	L	X	Z
O	Ñ	K	M	I	Ñ	V	A
R	T	A	Q	Y	S	R	T
T	I	B	N	G	E	H	I
U	X	R	I	D	V	H	R
G	Ñ	I	A	Ñ	Z	O	A
A	I	G	A	H	C	A	G
J	E	O	L	E	W	O	R
R	I	R	T	B	C	S	A
O	G	E	U	F	T	D	M

(2: 45)

9 **Escucha y escribe gl / gr donde corresponda.**

......obo ......uñón

an......osajón in......e

......upo a......adar

en......eído ......otón

......osero ......osario

(2: 46)

10 **Escucha y escribe g, gu, gü.**

para...as anti...o

pin...ino ce...era

...ante ...ijarro

ci...eña para...ero

...inda ...isar

(2: 47)

11 **Escucha y escribe [g] o [g]. A continuación, lee en voz alta.**

an...ustia, ...rupa, in...le, pe...amento, re...alo, an...osto, al...o, en...año, de...ustar, domin...o, fis...ón, mar...arita, ma...o, emi...rante, hún...aro.

12 **Escribe [g] o [g] y lee en voz alta.**

La niña es guapa.

Gato con guantes no caza ratones.

Hugo tiene gafas y bigote.

Los guantes de mi amiga Angustias están llenos de agujeros.

Pon el paraguas en el paragüero para no manchar el suelo de agua.

13 **Busca en el diccionario palabras que tengan [g] o [g], gu, gü (dos de cada). Léelas en voz alta.**

....

....

....

◆ **CONTRASTE** *k / g*

(2: 48)

 14 **Escucha y repite.**

casa / **g**asa	**gu**iso / **qu**iso	tra**g**a / tra**c**a
casto / **g**asto	**g**algo / **c**alco	to**g**a / to**c**a
coloso / **g**oloso	**g**atear / **c**atear	ras**g**o / ras**c**o
callo / **g**allo	**g**alesa / **c**alesa	pe**g**o / pe**c**o
cala / **g**ala	**g**oma / **c**oma	rue**g**a / rue**c**a

(2: 49)

 15 **Escucha y escribe.**

...raso / ...raso	...achas / ...achas	...omba / ...oma
...oleta / ...oleta	...ordillo / ...odillo	...uapa / ...uaja
...osa / ...oza	...al...o / ...al...o	...orro / ...orro

■ **Graba tu lectura; escucha y corrige tu pronunciación.**

(2: 50)

 16 **Escucha y completa con** *p, t, k, b, ƀ, d, đ, g, ǥ.*

La ...o...e...a ...e mi ...ío ...e...e ...iene muchas ...o...ellas.

Sír...eme un ...uen ...aso de ...ino, por fa...or.

La ...a...e...ral ...e ...uen...a es muy ...ran...e.

Nos ...usta to...ar la ...aita ...alle...a.

Las bufan...as ...e colores son ...iverti...as.

Los ...ías ...e ...escanso me ...omo el ...esayuno en la ...erraza.

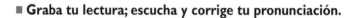 ■ **Graba tu lectura; escucha y corrige tu pronunciación.**

19 Fonema /x/

✔ Estudia

/x/, letras: **j** (+ a, e, i, o, u); **g** (+ e, i). Se pronuncia acercando la parte posterior de la lengua al velo del paladar, como se puede ver en el dibujo.

Realización de /x/

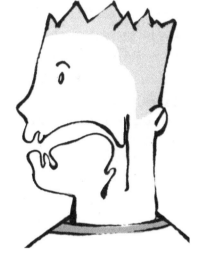

(2: 51)

1 **Escucha y repite.**

jamón, **j**oven, **j**ue**g**o, **j**il**gu**ero, **j**efe, **g**erente, **g**itano, **g**i**g**ante

vie**j**o, pa**j**e, pá**j**aro, pere**j**il, pluma**j**e, ve**g**etariano, a**g**itar, a**g**enda, á**g**il

(2: 52)

2 **Escucha y escribe g + e, i; j + vocal.**

…irasol	a…ente
…ente	ro…o
…arabe	de…ar
…ota	le…os
ce…a	…uguete

(2: 53)

 3 Escucha y marca las palabras que oigas.

vaga / baja   hijo / higo

garra / jarra   lija / liga

paje / pague   rojo / rogó

■ **Lee en voz alta los pares.**

4 Lee las siguientes frases.

Los jueves, José el *Gitano* toca la guitarra en la plaza.

Juan es vegetariano y no come jamón.

Mi hijo Jorge toma jarabe para el dolor de garganta.

Los jóvenes juegan en el garaje a las cartas.

En las fiestas de Guadalajara hay desfile de gigantes y cabezudos.

5 Escribe cuatro palabras que tengan *j* + vocal, *g* + e, *i* y léelas en voz alta. Puedes utilizar el diccionario.

....

....

....

....

Parte IV

LA ACENTUACIÓN

La acentuación

Para poder acentuar bien en español, es necesario conocer la sílaba. Todas las palabras del español se componen de sílabas:

casa = ca-sa   sol = sol   nevera = ne-ve-ra
árbol = ár-bol   huevo = hue-vo fantasía = fan-ta-sí-a

¡Cuidado! En español la sílaba siempre tiene que llevar vocal: **tren,** no **tr-en.**

(2: 54)

1 Escucha y divide las siguientes palabras en sílabas.

cenicero: ....   tabaco: ....

libro: ....   cárcel: ....

lámpara: ....   despertador: ....

televisión: ....   despedida: ....

2 Construye palabras con las sílabas que te damos.

en- ro- ca- ri- ban- ar- an- ma- co- pa- te- su- fer-

3 Descubre el mensaje leyendo una sílaba sí y otra no.

EL GA ES TI PA FE ÑOL TAS ES PIN U HIE NA RES
DE ÑAL LAS DIN LEN HOM GUAS QUE MAS SAS IM EM
POR DO TAN BAS TES FIL DEL JA MUN TAR DO.

(2: 55)

4 Escucha atentamente estas sílabas e intenta escribir la palabra.

1. ....   4. ....

2. ....   5. ....

3. ....   6. ....

5 Busca en esta sopa de sílabas siete palabras relacionadas con la informática.

OR	DE	NA	DOR	PE	NO	DIS
CAS	DO	FRI	COS	LU	CA	CO
MA	MAR	RA	TÓN	FER	MU	DU
RIS	CO	DI	TEZ	MAR	TAR	RO
TRO	TO	ZAS	CUL	ER	COS	NA
AL	FOM	BRI	LLA	TRAS	TI	FA
JA	JI	CAN	CU	QUE	NE	JI
ÑO	LE	DOR	CAR	DO	TRU	MAS
NA	TO	DIL	CLA	CO	FRE	VA
TA	RRE	TE	NI	BAS	NAS	TER
VEN	SAL	TOR	DIR	LLA	TA	PAN

En una palabra solamente hay una sílaba que se pronuncia con más fuerza. A esta sílaba se le llama **sílaba tónica.** Las demás sílabas de la palabra son **sílabas átonas.**

(2: 56)

6 Escucha estas palabras y subraya la sílaba tónica; después léelas en voz alta. Coloca la tilde cuando sea necesario.

1. calabaza

2. diseño

3. mechero

4. cantante

5. platano

6. maletin

7. niños

8. flor

9. estan

10. unos

11. manzana

12. pajaro

13. culebra

14. enfermedad

15. Caceres

16. conductor

(2: 57)

7 Escucha las siguientes palabras y corrige el acento cuando sea necesario.

1. sabánas: ....

2. sárten: ....

3. mécanico: ....

4. cáscara: ....

5. sabadó: ....

6. ádios: ....

7. agíl: ....

8. lápiz: ....

9. córdon: ....

10. café: ....

11. azucár: ....

12. cárcel: ....

13. comíc: ....

14. magíco: ....

15. ánis: ....

16. jamás: ....

17. córazon: ....

18. bébe: ....

19. vívi: ....

20. ménu: ....

21. albúm: ....

22. túnel: ....

23. numéro: ....

24. epocá: ....

25. fabricá: ....

26. genéro: ....

27. débil: ....

28. angél: ....

 ■ Escucha de nuevo y repite.

Si te has fijado, algunas palabras del español
llevan una marca (´), llamada **tilde,** que se coloca sobre la
vocal de la **sílaba tónica.** No todas las sílabas tónicas llevan
tilde. Hay unas reglas para colocarla correctamente. La
diéresis (¨) no es una marca de acentuación. Sólo se pone
sobre la vocal u cuando va seguida de e, i para marcar su
pronunciación:

cigüeña, lingüística.

Teniendo en cuenta la sílaba sobre
la que recae el acento, las palabras pueden ser:

– **Agudas:** cuando la sílaba tónica es la última
de la palabra. Llevan tilde únicamente las palabras
terminadas en **vocal** (*café*), **-n** (*sillón*), **-s** (*compás*); el resto no
lleva tilde (*azul*).

(2: 58)

8 **Escucha y repite.**

marroquí, Navidad, después, cristal, mesón, papel, autobús, color, mamá, clavel, maletín, reloj, cené, soledad, canción, detrás, amistad

■ **Clasifica las palabras anteriores agrupándolas según su terminación.**

vocal	*-n*	*-s*	consonante (no n, s)

> – **Llanas:** cuando la sílaba tónica es la penúltima sílaba de la palabra. Llevan tilde únicamente las palabras que no terminan ni en **-n,** ni **-s,** ni en **vocal** *(árbol, césped);* el resto no llevan tilde *(casa, niños).*

(2: 59)

 9 **Escucha y repite.**

carta, azúcar, útil, perro, mudo, franceses, terreno, Rodríguez, llaveros, joven, Cádiz, ángel, tijeras, difícil, fósil, cárcel, molino

■ **Clasifica las palabras anteriores agrupándolas según su terminación.**

vocal	-n	-s	consonante (no n, s)

> – **Esdrújulas:** cuando la sílaba tónica es la antepenúltima sílaba de la palabra. Llevan siempre tilde *(médico).*

(2: 60)

 10 **Escucha y repite.**

cámara, sábana, lógica, cálido, número, sílaba, época, lámina, máquina, médico

11 **Forma el plural de las siguientes palabras y coloca la tilde donde corresponda.**

útil: ....   dócil: ....

fácil: ....   inútil: ....

ágil: ....   túnel: ....

joven: ....   examen: ....

lápiz: ....   cárcel: ....

(2: 61)

 12 **Escucha y clasifica las palabras que oigas en agudas, llanas y esdrújulas.**

agudas	llanas	esdrújulas

(2: 62)

 13 **Escucha y coloca la tilde en las palabras que la necesiten.**

salvacion, sopor, Toledo, daselo, calido, camino, gusano, primavera, orfeon, calamidad, caracter, compañero, acompañame, regalalas, ordenador, sabado, Velazquez, español, fabrica, caotico

 14 **Haz una lista de palabras agudas, llanas y esdrújulas con los objetos de tu clase o tu casa.**

agudas	llanas	esdrújulas

15 **Escucha y repite.**

salto / saltó	hábito / habito / habitó
amaras / amarás	cántara / cantara / cantará
esta / está	médico / medico / medicó
amo / amó	ánimo / animo / animó
mimo / mimó	límite / limite / limité

> **Fíjate:** en español una misma palabra puede cambiar de significado si se cambia la posición del acento.
> Ej.: **sábana / sabana**
> **canto / cantó**

■ **Ahora, busca las palabras en el diccionario y dicta a tu compañero cinco de ellas en distinto orden. Luego copia tú las palabras que él te dicte.**

....

16 **Escucha y señala la sílaba tónica. Coloca la tilde cuando sea necesario.**

toco / toco	ley / lei	case / case
celebre / celebre	estudio / estudio	halla / alla
marco / marco	rey / rei	hay / ahi
rizo / rizo	rezo / rezo	robo / robo
peso / peso	ase / ase	hoy / oi

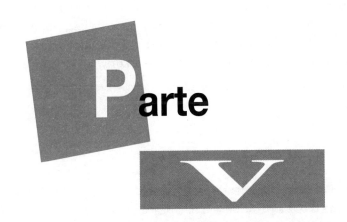

Parte V

LA ENTONACIÓN

La entonación

✔ *Aprende*

(2: 65)

🎧 Escucha con atención:

a) Ha empezado a nev**ar.**

b) ¿Ha empezado a nev**ar?**

Como ves, estas frases que parecen idénticas no lo son; se diferencian porque una y otra tienen distinta melodía. Así, en la frase a) se produce a partir de la última sílaba acentuada un descenso o bajada del tono de la voz (este descenso lo vamos a señalar como ➘). En la frase b) se produce a partir de la última sílaba acentuada un ascenso o subida del tono (el ascenso lo señalaremos como ➚).

Estos ascensos y descensos del tono que se producen al final de la frase, como hemos visto en los ejemplos, son muy importantes, porque una misma frase "entonada" o "cantada" de forma distinta, puede cambiar de significado y, también, porque la lengua adquiere así mayor expresividad.

Entonación descendente: se produce un **descenso** en el tono de la voz a partir de la última sílaba acentuada.

Ha empezado a nev**ar**

Tienen este esquema las oraciones enunciativas (Ha empezado a nevar), las interrogativas introducidas por ¿qué / quién / cuál / cuándo / cuánto / dónde / cómo...?, las exclamativas (¡Bravo!) y las imperativas (Ven aquí).

ORACIONES ENUNCIATIVAS

(2: 66)

 1 Escucha atentamente y repite.

sol

el sol

ha salido el sol

un cuento

lee un cuento

la abuela lee un cuento

en casa

como en casa

hoy como en casa

■ **Escribe frases parecidas a éstas y léelas en voz alta.**

....

....

....

....

ORACIONES INTERROGATIVAS

(2: 67)

  2 Escucha y repite.

En la escritura marcamos la pregunta con los signos de interrogación ¿...?

¿Dónde vives?   ¿Cuánto cuesta?

¿Cómo te llamas?   ¿A quién te pareces?

¿Qué quieres?   ¿Cuándo tienes el examen?

¿Quién viene?   ¿Con qué estás escribiendo?

■ **Escribe cuatro frases interrogativas que comiencen con** *qué, quién, cuál, cuánto, cuándo, cómo, dónde;* **después, léelas en voz alta.**

....

....

....

....

ORACIONES EXCLAMATIVAS

(2: 68)

 3 **Escucha y repite.**

¡Feliz cumpleaños!

¡Bravo!

¡Qué bonito apartamento!

¡No me digas!

¡Qué mañana tan larga!

¡Ha salido el sol!

¡Qué sorpresa!

> En las oraciones exclamativas usamos los signos ¡...! Con ellos expresamos sorpresa, admiración, exclamación..., en la escritura.

■ **Escribe ahora cuatro frases parecidas y léelas en voz alta.**

....

....

....

....

ORACIONES IMPERATIVAS

(2: 69)

  4 **Escucha y repite.**

No te muevas.	Estudia más gramática.
Vuelve pronto.	No fumes tanto.
Calla y come.	Comed despacio.
Estate quieto.	Sal de ahí.
Ponte el sombrero.	Baja el volumen de la televisión.

■ **Escribe cuatro frases parecidas y léelas en voz alta.**

....

....

....

....

✔ *Recuerda*

Entonación ascendente ➚: se produce una subida del tono de la voz a partir de la última sílaba acentuada. Las frases interrogativas poseen entonación ascendente, excepto las que comienzan con los interrogativos: *cómo, dónde, cuándo, qué...*

¿Ha empezado a nevar?

(2: 70)

 5 **Escucha y repite.**

¿Te vas?	¿Vendrás conmigo de compras?
¿Quieres más?	¿Te ha gustado la película?
¿Todavía está durmiendo?	¿Participarás en el concurso de cocina?
¿Tenéis clase mañana?	¿Terminaste todos los deberes?

■ **Escribe cuatro frases interrogativas parecidas a éstas y léelas en voz alta.**

....

....

....

....

(2: 71)

6 **Escucha y coloca ➚ o ➘. A continuación escucha de nuevo y repite.**

Está lloviendo.	¿Por qué gritas?
No entiendo la lección.	¿Cómo estás?
Sígueme.	¿Ha venido el profesor?
Lávate las manos.	¡Cuánta gente!
¿Quieres más?	¡Qué calor!

(2: 72)

7 **Escucha y escribe. Coloca ↗ o ↘.**

1. ....
2. ....
3. ....
4. ....
5. ....

■ **Escucha de nuevo y repite.**

(2: 73)

8 **Escucha y coloca ¿...?, ¡...!, y ↗ o ↘.**

1. Hoy comienza el otoño
2. Te has puesto el sombrero
3. Abre la puerta
4. Vivan los novios
5. Dónde has aparcado el coche
6. Qué fiesta tan divertida
7. Te importaría prestarme el collar
8. A qué hora iremos al cine
9. Me gusta pasear por El Retiro los domingos
10. Qué simpática es Begoña

I. **Clasifica las frases anteriores.**

enunciativas	interrogativas	imperativas	exclamativas

2. Ahora, agrúpalas según su entonación.

entonación ascendente	entonación descendente

(2: 74)

9 **Escucha el siguiente diálogo y escribe ¿...?, ¡...!**

Marta: Por favor, por favor, me da un billete para Aranjuez

Taquillero: De ida y vuelta

Marta: No, sólo de ida. Cuánto es

Taquillero: Son 2,7 euros

Marta: Cuánto ha dicho

Taquillero: 2,7 euros

Marta: A qué hora sale el tren

Taquillero: Sale cada veinte minutos

Marta: Cuándo sale el próximo

Taquillero: Está saliendo en este momento

Marta: Qué me dice Con la prisa que tengo

Taquillero: Lo siento, tendrá que esperar otros veinte minutos hasta
      el próximo

Parte VI

RECAPITULACIÓN

El juego del caracol

REGLAS

1. Necesitáis fichas de colores y dados. Si no tenéis, podéis usar monedas de distintos tamaños.

2. Tenéis que responder a las preguntas

CASILLAS

1. Piensa rápidamente tres palabras que empiecen por PA-.

2. Si tienes una E en tu nombre, avanza dos casillas.

3. Pierdes un turno porque hay un concierto de música.

4. Piensa rápidamente cuatro palabras que empiecen por CO-.

5. Si pronuncias rápido y bien el trabalenguas, avanza una casilla, si no retrocede dos.

6. Escribe una palabra que empiece por FL-.

7. Piensa rápidamente dos palabras que terminen por -NA.

8. Deletrea la palabra *quejica*.

9. Pronuncia rápido: *Con este puñal de acero te descorazonaré.*

10. Piensa rápidamente tres palabras que empiecen por DO-.

11. Si pronuncias rápido y bien el trabalenguas, avanza dos casillas, si no retrocede dos.

12. El laberinto (dos turnos sin jugar).

13. Piensa rápidamente dos palabras que terminen por -LA.

14. Escribe dos palabras que sólo tengan la vocal A, si no lo consigues, retrocede una casilla.

15. El puente. Vuelve a la casilla 5.

16. Piensa rápidamente cuatro palabras que empiecen por TE-.

17. Escribe una palabra aguda, otra llana y otra esdrújula.

18. Separa en sílabas la palabra *cabrilla*.

19. Piensa rápidamente dos palabras que tengan diptongo -ue-.

20. Deletrea la palabra *cuchillo*.

21. Lee rápidamente y varias veces la palabra *monja*, ¿cuántas palabras eres capaz de encontrar?

22. La muerte. Vuelve a la casilla 1.

23. Escribe una palabra llana que tenga tilde.

24. Haz una pregunta personal a tu profesor.

25. Llegada.

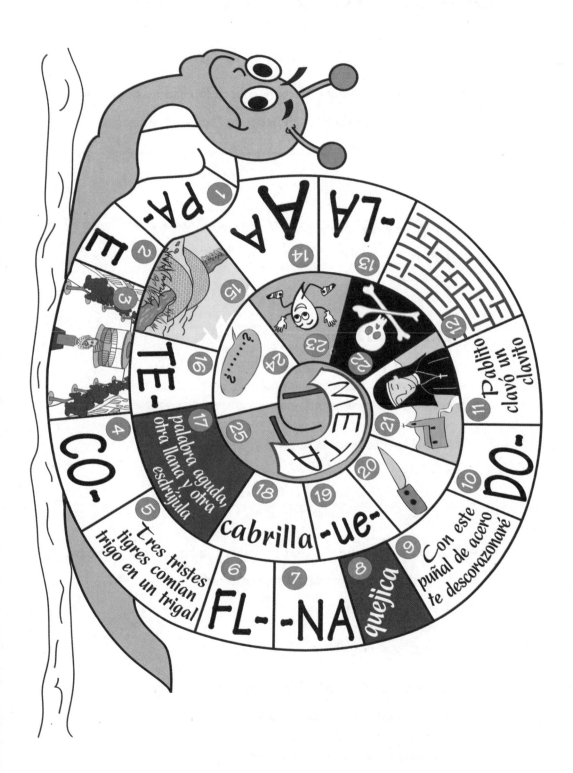

Comprensión auditiva

1 **Escucha el siguiente texto y marca la respuesta correcta.**

1. ¿Qué comida del día están haciendo Pepa y sus amigos?

a) almuerzo o comida
b) desayuno
c) cena

2. Pepa se va de viaje a:

a) París
b) Caracas
c) Budapest

3. ¿Qué le pasa a Pepa?

a) le gusta mucho viajar en avión
b) tiene miedo de viajar en avión
c) se duerme en el avión

4. ¿Qué le recomiendan Antonio y Javier a Pepa?

a) no viajar
b) tomar tranquilizantes y distraerse
c) mirar por la ventanilla del avión

2 **Escucha el siguiente texto y marca la respuesta correcta.**

1. ¿Cuál es la gran oferta del supermercado?

a) el arroz Socarrat
b) los turrones
c) las galletas Ñam, Ñam

2. ¿Por qué se tiene que retirar el coche?

a) porque está delante de una salida
b) porque está mal aparcado
c) porque tiene una rueda pinchada

3. ¿Dónde se encuentra Lolo?

a) en el hospital

b) en el aeropuerto

c) en el supermercado

4. ¿Cómo iba vestido Lolo?

a) con un pantalón rojo y un jersey azul marino

b) con un pantalón corto y zapatillas deportivas

c) con un jersey y unos zapatos rojos

(2: 77)

Escucha el siguiente texto y marca la respuesta correcta.

1. ¿Qué le ofrece Viajes La Imperial?

a) visita a una ciudad andaluza

b) una visita a Alcalá

c) una visita guiada a Toledo

2. ¿Qué van a visitar los turistas antes del almuerzo?

a) una vista panorámica de la ciudad

b) la Casa de El Greco

c) la catedral y el Alcázar

3. ¿Cuándo tienen tiempo libre?

a) de 20.30 h a 21.30 h

b) de 18.30 h a 20 h

c) no tienen tiempo libre

4. ¿Cuál es el punto de encuentro para la vuelta a Alcalá de Henares?

a) la plaza de toros

b) el Alcázar

c) la plaza de Zocodover

Soluciones

PARTE I. EL ALFABETO

 Ejercicio 1

a, be, ce, de, e, efe, ge, hache, i, jota, ka, ele, eme, ene, eñe, o, pe, cu, ere, ese, te, u, uve, uve doble, equis, i griega, zeta.

Letras dobles: che, elle, erre

Ejercicio 2

Respuesta libre.

 Ejercicio 3

1. jota; 2. hache; 3. eñe; 4. erre; 5. elle; 6. equis; 7. cu; 8. ene; 9. zeta; 10. ge.

Ejercicio 4

ka, che, efe, de, i griega, a, ese, o, te, ele

Ejercicio 5

a, b, c, ch, d, e, f, g, h, i, j, k, l, ll, m, n, ñ, o, p, q, r, rr, s, t, u, v, w, x, y, z

Ejercicio 6

1. pe-e-ese-ce-a-de-o
2. ce-e-ere-e-ceta-a-ese
3. te-e-ere-ene-e-ere-a
4. ene-a-ere-a-ene-jota-a-ese
5. hache-u-e-uve-o
6. te-a-equis-i
7. uve-e-ere-de-u-ere-a-ese
8. jota-a-eme-o-ene
9. ce-o-che-e
10. a-uve-i-o-ene
11. a-e-ere-o-pe-u-e-ere-te-o
12. te-ere-e-n
13. ge-ele-o-be-o
14. be-a-ere-ce-o
15. te-ere-a-ene-uve-i-a
16. eme-o-te-o-ce-i-ce-ele-e-te-a

■ Respuesta libre.

Ejercicio 7

1. e, ese, pe, a, eñe, o, ele (español)

2. cu, u, e, ese, o (queso)

3. hache, a, eme, be, ere, e (hambre)

4. hache, o, erre, o, ere, o, ese, o (horroroso)

5. e, equis, te, ere, a, ene, jota, e, ere, a (extranjera)

6. de, e, ese, pe, a, che, o (despacho)

7. de, u, che, a (ducha)

8. uve, e, ene, e, ceta, u, e, ele, a (Venezuela)

9. ge, u, a, ene, te, e (guante)

10. uve, e, ere, de, a, de, e, ere, o (verdadero)

11. ce, e, ene, i, ce, e, ere, o (cenicero)

12. elle, u, uve, i, o, ese, o (lluvioso)

13. ce, a, eñe, a (caña)

14. ceta, a, pe, a, te, e, ere, i, a (zapatería)

■ Respuesta libre.

Ejercicio 8

Respuesta libre.

Ejercicio 9

Ejercicio 10

Ebro, Segura, Manzanares, Duero, Guadalquivir

Ejercicio 11

abanico	pescado
biblioteca	querido
calle	sopa
gota	tetera
jabón	uva
pantalón	zapato

Ejercicio 12

Alumno A: Navidad, fiesta, montaña, divertido, vaso, Japón
Alumno B: aburrido, botella, calefacción, chaqueta, hermano, España

PARTE II. LAS VOCALES

Lección 1. Fonema /a/

Ejercicio 1

ama, anda, alza, asada, andar, agarra, salsa, casa, vaca, batalla, mañana, araña, cámara, Málaga, cántara, sábana, mamá, más, sacar, charlatán

Ejercicio 2

1. hace	9. caballo
2. albañil	10. Portugal
3. amapola	11. calamar
4. pájaro	12. tocar
5. llano	13. Cáceres
6. montaña	14. lámpara
7. gafas	15. espalda
8. bufanda	16. amiga

■ Respuesta libre.

Ejercicio 3

amarillo, cazadora, fregona, naturaleza, chaqueta

Ejercicio 4

Ana lava las sábanas

la manta de mi cama es blanca

cada mañana papá trabaja en casa

clara asaba manzanas para su hermana

la gata está en la caja

■ Respuesta libre.

Ejercicio 5

Posibles respuestas

casa, árbol, pájaros, niña, pata, estanque...

Lección 2. Fonema /e/

Ejercicio I

era, eco, ética, enano, ejemplo, ceja, pera, meta, bella, botella, nevera, escopeta, abeja, acera, azucena, mujer, escoger, ven, café, clavel

Ejercicio 2

cordel, papelera, cochera, hoguera, coser

Ejercicio 3

pela / pala	peso / piso
queda / cada	lela / lila
bella / valla	pera / pira
meta / mata	legar / ligar
reta / rata	rezar / rizar

Ejercicio 4

vela	cabeza	enferma
mesa	nevera	madera
lenta	España	ventana
cena	maleta	peseta

 ■ Respuesta libre.

 Ejercicio 5

papelera, caracol, carne de vaca, papel de seda, sartenes, calamares, elegan-te, vengo de Barcelona, peseta, albergue, empanada

Ejercicio 6

caballo / cabello	palo / pelo
raja / reja	paso / peso
masa / mesa	dado / dedo

Ejercicio 7

peso / piso / paso	tela / tila / tala
mercado / marcado	pesado / pasado / pisado
pica / peca / Paca	masa / mesa / misa
monada / moneda	garrote / garrota
raza / reza / riza	tea / tía
raja / reja / rija	rata / reta

Ejercicio 8

La letra e.

Lección 3. Fonema /i/

 Ejercicio I

hijo, isla, ira, imaginar, indicar, cita, chiste, tímido, ciprés, fideo, pisada, som-brilla, ceniza, pellizco, alhelí, iraní

Ejercicio 2

aspirina, clásica, cristal, íbero, morcilla, americana

 Ejercicio 3

Miño / maño   villa / bella

risco / rasco   siso / seso

quinto / canto   riza / reza

mito / mato   dije / deje

pisa / pasa   ligado / legado

 Ejercicio 4

cabecita, tejido, sanitario, pasito, palito

Ejercicio 5

canalla / canilla   legado / ligado

rama / rima   fecha / ficha

pecador / picador   para / pera /pira

esquela / esquila   rezar / rizar

aplaque / aplique   pasado / pesado / pisado

patada / pitada   carro / cerro / cirro

 Ejercicio 6

Mi hijo vive en Madrid.

La iglesia está en la avenida de Cervantes.

Rita está en el supermercado. Tiene que comprar: una piña, albaricoques,

pepinos y mantequilla.

Ejercicio 7

Posibles respuestas

pizarra, silla, tiza, bolígrafo, libro, mochila, estantería...

Ejercicio 8

Lección 4. Fonema /o/

 Ejercicio 1

ojo, orden, hoja, rostro, cosa, roto, contento, chorizo, coleta, redondo, horroroso, pastora, goloso, color, jamón, calor, polvorón, roscón, jabón, pronto, chaleco, oído

 Ejercicio 2

reloj, motor, corazón, oídos, generoso

 Ejercicio 3

hombre, sillón, sobrino, calzoncillos, recoger, sombrero, desayuno, sencillo, estornudar, ocho, pequeño, amarillo, libro

Ejercicio 4

Posibles respuestas

sombrero, sombrilla, sol, niños, pelota, edificios, toalla, bañador, saludos

Ejercicio 5

polo / pelo	cosa / casa	pico / poco
mezo / mozo	rato / roto	ojo / hijo
meto / moto	puso / poso	toro / tiro
hombro / hombre	gato / gata	lisa / losa

■ Respuesta libre.

Ejercicio 6

Los niños del parque llevan a sus perros con correas. Los perros son todos pequeños y con muchos colores.

Lección 5. Fonema /u/

Ejercicio I

luna, duro, gruta, uña, único, úlcera, bufanda, chupete, culebra, insulto, lechuga, lanudo, insular, documento, confusión, avestruz, azul, tisú, espíritu, tribu, cónsul

Ejercicio 2

uve / ave	puso / poso
cuna / cana	fruto / froto
puñal / pañal	estufa / estofa
nube / nave	churro / chorro
cuba / cava	burdo / bordo

Ejercicio 3

1. uña	7. tapujo
2. uva	8. monumento
3. duque	9. indudable
4. grumo	10. gandul
5. fuma	11. tul
6. menudo	12. usar

Ejercicio 4

cuna, embrujar, cúpula, juventud, arruga

Ejercicio 5

bruta	suple
gustar	usada
cabezudo	cuñado

Ejercicio 6

malo / mulo	uso / oso / aso
paño / puño	gramo / grumo
hacha / hucha	papa / pupa / popa

Ejercicio 7

Respuesta libre.

Ejercicio 8

Respuesta libre.

Ejercicio 9

1. El sol se esconde detrás de las nubes.
2. El coche de Pepa está pintado de azul.
3. La luna aparece por la noche.
4. Los niños van al campo con sus padres.
5. Los tejados y las torres de Alcalá están ocupados casi todo el año por las cigüeñas.

Ejercicio 10

Hay un tesoro en la plaza de Cervantes. Hay mucho dinero. Está entre la estatua de Miguel y una fuente. Un árbol le da sombra. ¡Ahí está!

%: a   ~:e   <:o

Ejercicio 11

Dinamarca	dentista	muñeca
Bélgica	profesor	abogado
naturaleza	Inglaterra	oreja
Argentina	vendedora	nariz
cabello	pestaña	bigote

Ejercicio 12

A los españoles les gusta mucho ir a fiestas. Salen los sábados por la noche a la discoteca. Allí bailan y cantan. Cenan en restaurantes. Los domingos van al cine y se acuestan muy pronto.

Lección 6. Diptongos

Ejercicio 1

viaje, hacia, ferial, rabia, piadoso, mi_amiga

viejo, siempre, invierno, bien, miel, mi_hermana

imperio, idioma, nacional, idiota, limpio, casi_oscuro

ciudad, viuda, triunfo, diurno, solárium

Ejercicio 2

Asia / asa	Dios / dos
tapiado / tapado	patio / pato
aliado / alado	indio / Indo
nieto / neto	viuda / vida
cielo / celo	

Ejercicio 3

italiano, cristiano, sucia, seriedad, armario, iglesia, dependiente, diario, movimiento, ayuntamiento

Ejercicio 4

En Asia son muy apreciadas las especias.

Mi hermano va de viaje hacia Soria.

Los idiomas oficiales de España son cuatro.

Mi amigo Antonio estudia biología.

En invierno la hierba está seca.

Al viejo le duele una pierna.

La viuda se dirige al acuárium.

 Ejercicio 5

guapa, cuatro, agua, igual, lengua, espíritu abierto

bueno, suelo, abuela, ciruela, jueves, cigüeña, su enemigo

juicio, lingüístico, ruido, ruinas, cuidado

antiguo, duodécimo, ambiguo, acuoso, sinuosa

 Ejercicio 6

agua / haga	tuerca / terca	muy / mi
contiguo / contigo	suave / sabe	huella / ella
Luisa / Lisa	acuosa / acosa	

Ejercicio 7

Cuando el río suena, agua lleva.

El agua de Guadalajara es buena para la salud.

Mi amiga Juana vive en el cuarto.

Los huevos podridos huelen mal.

Los niños suecos suelen ser rubios.

En 1969 el hombre dejó su huella en la Luna.

Luisa es muy cuidadosa con sus estudios.

Las ruinas romanas del teatro de Mérida son muy famosas.

El canto de los ruiseñores es muy dulce.

Vivo en el casco antiguo de la ciudad.

Nuestro amor es mutuo.

Ejercicio 8

Ejercicio 9

aire, baile, paisaje, hay, vais, la iglesia

reina, peine, ley, reino, jersey, me quiere igual

soy, boina, oigo, heroico, gasoil, niño imprudente

Ejercicio 10

paisaje / pasaje

hoy / o

veinte / vente

peinar / penar

gaita / gata

doy / do

Ejercicio 11

Hay un bonito paisaje donde no existe ruido.

Hace veinte años mi madre me peinaba el pelo.

Hoy hay un baile y yo bailaré con Luisa.

Ejercicio 12

jaula, aula, fauna, causa, Aurora, aumentar, autobús, esta universidad, Europa, reunión, neumonía, neumático, deuda, Ceuta, ambiente urbano, bou, lo usó

Ejercicio 13

sauna / sana

aula / ala

pausa / pasa

causa / casa

Eulogio / elogio

Ceuta / zeta

 Ejercicio 14

Laura hace una pausa.

El automóvil lleva ruedas de caucho.

La deuda de Eugenio es de treinta euros.

El Cou era un curso de acceso a la universidad.

 Ejercicio 15

autor, Paula, lámpara, seudónimo, árbol, causa, deuda, cuna, eurovisión

Ejercicio 16

Yo vivo fuera de la ciudad en una casa que tiene un patio, un jardín y un pequeño huerto. Aunque es mi madre habitualmente quien lo cuida, mi padre y yo también la ayudamos de vez en cuando. En el jardín hay un enorme laurel, arriates en donde crecen violetas y pensamientos. En el patio, una enredadera trepa por una reja de hierro, y los geranios y las petunias lo llenan de color. En los días lluviosos las plantas se vuelven de un verde muy intenso, y un suave olor a tierra mojada lo llena todo.

PARTE III. LAS CONSONANTES

Lección 1. Fonema /p/

 Ejercicio 1

pintor, piloto, padre, pala, pelota, pollo, puente, puño

papá, papel, suponer, tapón, capa, especial, respirar

prisa, prado, precio, pregunta, problema, prueba, primero

planta, plato, plegaria, pliegue, plomo, pluma, plural

aprobar, sorpresa, ciprés, comprender, comprar

complicado, empleo, súplica, múltiple, aplique

 ### Ejercicio 2

típico, tapete, pavor, campamento, espada, prisa, golpe, deporte, copa, templado, cepillo, temprano

■ Respuesta libre.

Ejercicio 3

Posibles respuestas

pepinos, pimientos, plátanos, patatas, peras

 ### Ejercicio 4

pisa, desplegar, replicar, repicar, platito, pluma, pesa, paga, plasta

 ■ prisa / pisa, desplegar / despegar, replicar / repicar, pluma / puma, platito / patito, presa / pesa, plaga / paga, plasta / pasta

Ejercicio 5

Respuesta libre.

Ejercicio 6

Respuesta libre.

Lección 2. Fonema /b/

 ### Ejercicio 1

baño, verde, vino, Barcelona, blusa, bruja, hombre, invitado, envidia, invier-no, en verano, un barco

Ejercicio 2

1. botella
2. butaca
3. vela
4. brazo
5. un vale
6. brinco

7. bolero
8. viento
9. convidado
10. envase
11. invento
12. en Burgos

■ Respuesta libre.

Ejercicio 3

Respuesta libre.

 Ejercicio 4

Respuesta libre.

 ■ Visitamos Toledo en vacaciones.
Víctor es un gran inventor.
Te envío un beso.
Me han invitado a un baile de disfraces.

 Ejercicio 5

pavo, favor, cerveza, cebolla, la vela, escribir, abrigo, obrero, albanés, hierba, desván, dos besos

Ejercicio 6

Respuesta libre.

 Ejercicio 7

1. lavadora
2. abrazo
3. cobrar
4. la bandera
5. cable
6. abogado
7. los balones
8. televisión

9. automóvil
10. mi vaca
11. tabaco
12. habitación
13. jarabe
14. librería
15. abuelo
16. las brasas

 ■ Respuesta libre.

Ejercicio 8

Ponte el abrigo y la bufanda.
Lávate la cabeza con jabón.
Te debo la vida.
Toros bravos.
Me gusta tu blusa blanca.

 ■ Respuesta libre.

Ejercicio 9

baƀero, inbierno, arƀusto, bigote, caƀa, embajada, bárƀaro, bombilla, borƀón, caƀello

Ejercicio 10

brote, ave, baba, breva, ubre, banco, blando, cabe

■ brote / bote   ubre / uve
abre / ave   blanco / banco
brava / baba   blando / bando
breva / beba   cable / cabe

Ejercicio 11

ceƀada   suƀordinada
burƀuja   pólƀora
biƀerón   la ƀoda
aƀellana   bienbenida
embrujar   selƀático
sin bergüenza   Paƀlo
caƀra   nuƀlado
breƀa   coƀriza
inbentar   los bomƀeros

■ Respuesta libre.

Ejercicio 12

Respuesta libre.

Ejercicio 13

pe / be	barco / parco
pipa / viva	vino / pino
poca / boca	vaso / paso
Pepa / beba	brisa / prisa
peso / beso	velo / pelo

 Ejercicio 14

pata / bata	piña / viña	pollo / bollo
Baɓel / papel	boɓa / popa	vez / pez
perro / berro	par / bar	pizca / bizca

  ▪ Respuesta libre.

Lección 3. Fonema /m/

 Ejercicio 1

mamá, mesa, marco, mar, medalla

amor, amigo, enemigo, cama, camisa

hombre, ombligo, campana, hambre, campo, álbum, currículum

 Ejercicio 2

mentira, morado, bombilla, cambio, manzana, mueble, comida, mimosa, melón, jamón, marco, crema, camello, mascota, camión

▪ Respuesta libre.

Ejercicio 3

mar, padre, meón, pira, copa, mesa, Roma, coma, pesa, ropa, madre, peón, mira, par

▪ mar / par, madre / padre, peón / meón, pira / mira, coma / copa, mesa / pesa, Roma / ropa

Ejercicio 4

bala / mala	bazo / mazo
vida / mida	cava / cama
baba / mama	cabello / camello

Ejercicio 5

bombilla, semilla, mirilla, cámara

Ejercicio 6

```
L  A  M  P  A  R  A  O
K  O  E  D  X  B  R  I
O  P  S  H  A  N  A  Y
P  Ñ  I  M  G  N  P  T
M  L  L  I  H  M  M  R
H  T  L  Q  C  K  A  W
Y  M  A  N  T  A  M  D
T  Y  Ñ  A  V  I  S  C
U  W  S  O  K  L  Ñ  P
Q  O  I  R  A  M  R  A
```

Lección 4. Fonema /f/

 Ejercicio 1

ficha, fecha, favor, foco, flamenco, flor, francés, fruta
afirmar, desfile, influencia, dentífrico, rifa, coliflor, reflexionar

Ejercicio 2

Respuesta libre.

 Ejercicio 3

forro / borro   fino / pino   favor / pavor / babor
forja / Borja   foso / poso   foca / poca / boca
fruta / bruta   feo / veo   fino / pino / vino
frío / brío   fresa / presa

 Ejercicio 4

feto / peto   flanco / blanco
binar / pinar   fosa / posa
paz / faz   prisa / brisa
flan / plan   fiar / piar
foto / voto / poto

  ■ Respuesta libre.

Ejercicio 5

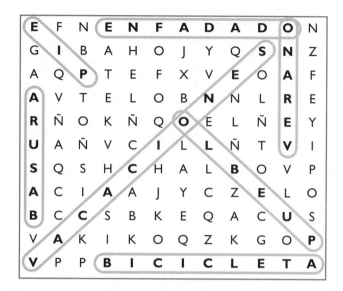

Ejercicio 6

Respuesta libre.

Lección 5. Fonema /t/

 ### Ejercicio 1

tía, televisión, taza, torrija, tuyo, tierra, tiza

carpeta, pelota, parte, interés, entero, antena

tomate, tetera, tapete, tarta, tostón, tiesto

triste, tren, trabajo, trozo, trece, trapo

cuatro, matrícula, detrás, estrella, destrozar

Ejercicio 2

taza	plato
estrella	litro
cartel	diente
gente	trabajo
desierto	otro

■ Respuesta libre.

Ejercicio 3

Posibles respuestas

chaqueta, calcetín, cinturón, pantalón, camiseta

Ejercicio 4

traza, techo, potito, costra, tropa, estés, estrella, ataca

- traza / taza   topa / tropa
  trecho / techo   estés / estrés
  potrito / potito   Estella / estrella
  costra / costa   ataca / atraca

Ejercicio 5

atrevido	trueno	contento
caseta	costa	costra
rostro	roto	tirantes
torpe	trapo	trineo

- Respuesta libre.

Ejercicio 6

¿Te gusta tomar el té con pastas?
Mi tío Tomás pasa las tardes viendo la televisión.
Marta trae las torrijas para sus invitados.
El tren de Toledo de esta tarde sale con retraso.

Lección 6. Fonema /d/

Ejercicio I

día, disco, dieta, danés, dar, debajo, dos, Drácula, droga, drama, falda, soldar, conde, andar, el dato, un diamante

Ejercicio 2

Respuesta libre.

Ejercicio 3

1. de	9. el dulce
2. danza	10. droguería
3. diversión	11. condena
4. deberes	12. caldo
5. dormitorio	13. molde
6. doble	14. el dato
7. un duro	15. un día
8. dragón	16. el dinosaurio

■ Respuesta libre.

 Ejercicio 4

Respuesta libre.

 ■ Un diamante es para siempre.

Daniel se toma un caldo.

El dragón es un animal imaginario.

La sandía es una fruta refrescante.

 Ejercicio 5

hada, codo, cerdo, estúpido, cuerda, sordo, padre, madrugar, los dedos, la dama

Ejercicio 6

Respuesta libre.

Ejercicio 7

1. cazador	9. nublado
2. ceda	10. padre
3. moda	11. los dos
4. rueda	12. cinco duros
5. izquierdo	13. hada
6. cordón	14. madrina
7. gordo	15. helado
8. cuadrado	16. enamorada

■ Respuesta libre.

Ejercicio 8

Respuesta libre.

Ejercicio 9

daɖo	moɖerno
caldo	fondo
aɖorno	sueldo
docena	morɖisco
conductor	reɖondo
estos ɖías	maldaɖ
un deɖal	Peɖro
desɖe	cuaɖro
corɖel	diez

■ Respuesta libre.

Ejercicio 10

rescoldo / recodo

moldear / modelar

caldera / cadera

toldo / todo

celda / ceda

Ejercicio 11

1. los ɖiablos
2. en domingo
3. el desconociɖo
4. comer ɖespacio
5. estar ɖe espaldas
6. el corte ɖe pelo
7. los ɖías ɖe la semana
8. de ɖenia

Ejercicio 12

Me duelen mucho los dedos de los pies.

Duermo hasta muy tarde la mañana del domingo.

Deme dos kilos de dátiles.

Me he comprado una falda de color verde.

Vivo en la calle Conde de Floridablanca, número doce, segundo piso.

 Ejercicio 13

te / de	dorso / torso
tía / día	drago / trago
taba / daba	candor / cantor
tejo / dejo	dan / tan
tuna / duna	dele / tele

 Ejercicio 14

torta / torda	date / tate
Madrid / matriz	muerto / muerdo
ten / den	tardo / dardo
codo / coto	tiente / diente
dátil / táctil	tejado / dejado
cata / cada	pita / pida

 ■ Respuesta libre.

Lección 7. Fonema /θ/

 Ejercicio 1

cine, ciprés, cinta, cinco, cielo

cebolla, cebra, ceguera, celeste, ceja

zapato, zambomba, zoológico, zurdo, zumo

ácido, cenicero, cereza, azteca

zenit, zéjel, zigurat, zipizape

Ejercicio 2

azucena	divorcio	oficina
docena	azúcar	ceniza
zapatilla	encima	escenario
encendido	océano	gazpacho
ozono	pozo	pez

■ Respuesta libre.

Ejercicio 3

Respuesta libre.

 Ejercicio 4

ceso / seso	sueco / zueco
cien / sien	asada / azada
corzo / corso	casa / caza
ceta / seta	abraso / abrazo
cepa / sepa	cosido / cocido

Ejercicio 5

Respuesta libre.

 Ejercicio 6

cacerola	pesadilla
sucio	cepillo
piscina	adolescente
acero	naturaleza
usado	tenazas
cetáceo	servicio

 Ejercicio 7

Dentro de los cines ya no hay ceniceros.

Las plazas andaluzas huelen a rosas y a jazmín.

En Galicia se usan zuecos y no se utilizan zapatillas.

Lección 8. Fonema /s/

 Ejercicio 1

sala, silla, sol, siempre, suelo

casa, hermoso, beso, rosal, aseo

vestido, resfriado, pescado, mismo, musgo

jueves, mesas, portugués, tres, alegres

Ejercicio 2

Respuesta libre.

Ejercicio 3

Respuesta libre.

■ Respuesta libre.

Lección 9. Fonema /l/

 Ejercicio 1

limón, leche, lado, loco, luz

plisado, globo, blando, flamenco, clase

pala, peluca, cálido, rulo, piloto

falta, polvo, calcular, caldo, jilguero

mal, piel, cordel, árbol, señal

 Ejercicio 2

Trae la laca para el pelo.

Ponte un ligero jersey de lana.

Luisa, ¡este lomo está salado!

En abril se quemó la vieja el mandil.

■ Respuesta libre.

 Ejercicio 3

toldo, caldera, modelar, rescoldo, ceda, hada

Ejercicio 4

Posibles respuestas

lápiz, papel, bolígrafo, libro, luz, papelera, carteles

Ejercicio 5

Respuesta libre.

Lección 10. Fonema /r/

 ### Ejercicio 1

ópera, cera, cara, pero, hora

prisa, brazo, triángulo, trece, crisis, dragón

perla, corte, perdón, arte, terminado

invitar, director, señor, alfiler, azúcar

Ejercicio 2

Respuesta libre.

 ### Ejercicio 3

pero / pelo	tira / tila	borda / boda
tordo / toldo	cara / cala	tarar / talar
verte / vete	cardo / caldo	mar / mal
arce / alce	bar / va	ceros / celos
arma / alma	verso / beso	muro / mulo
pira / pila	borla / bola	lira / lila

 ### Ejercicio 4

todo, poro, muro, ara, oda, cara, herida, codo, cera, llamada

■ toro / todo	cara / cada
poro / podo	herida / herirá
mudo / muro	coro / codo
ara / hada	ceda / cera
hora / oda	llamara / llamada

Ejercicio 5

 ### Ejercicio 6

1. El hada araba con sus finas alas el aire perfumado con el aroma de los lilos.

2. Nos acercamos a ver el mar desde la cala. El mar estaba muy alborotado, y la brisa nos humedeció la cara y el pelo.

3. Vete, no quiero verte mientras Pilar borda las sábanas para su boda.

■ Respuesta libre.

Lección 11. Fonema /r̄/

 ### Ejercicio 1

ropa, reja, raso, rubio, rabia

parra, erre, terror, correo, carro, los rizos

enredo, enriquecer, Enrique, sonrisa, israelí, alrededor

Ejercicio 2

pero / perro   caro / carro

coro / corro   rabo / lavo

ara / arra   perro / pelo

mira / mirra   erre / ele

torero / torrero

carera / carrera

careta / carreta

para / parra

moro / morro

helaba / erraba

lisa / risa

roca / loca

 Ejercicio 3

río / lío

errar / helar

robo / lobo

ala / arra

mala / marra

rosa / losa

leo / reo

calo / carro

roncha / loncha

sarro / salo

Ejercicio 4

Respuesta libre.

Ejercicio 5

Respuesta libre.

Lección 12. Fonema /n/

 Ejercicio 1

nariz, niebla, nube, nave, noria

ene, enamorado, entrar, canción, cinta

con, sin, avión, tan, chapuzón

Ejercicio 2

Respuesta libre.

 Ejercicio 3

Carmen cenaba con su hermano Manuel.

Antonio va andando hacia la estación.

En verano nadamos en la piscina.

–¿Quiénes son esos niños?

–Son los nietos de mi tío Julián.

Ejercicio 4

ama, cana, nana, ni, ene, como, mimada, nido

■ Respuesta libre.

 Ejercicio 5

lado / nado   ene / ele

pana / pala   cana / cala

lave / nave   gano / galo

Ejercicio 6

colina, ballena, luna, nariz, nombre

Ejercicio 7

francés   japonés

danés   venezolana

noruego   mejicano

coreano   sudafricano

■ Respuesta libre.

Lección 13. Fonema /ĉ/

 Ejercicio 1

chillar, chicano, cheque, checo, chorizo, chocolate, chal, chalado, churro, coche, dieciocho, racha, muchacho, cucurucho, percha, loncha, poncho

 Ejercicio 2

achaque, cachete, malucha, chulo, chocolate, chulapa, enchufe, chubasquero, choza, ancho

Ejercicio 3

charlar   concha

fachada   poncho

salchicha   colcha

escarcha   Sancho

Ejercicio 4

¡Conchi, arregla el enchufe!

A las chicas checas les gusta el chocolate.

La fachada del chalet de Moncho es muy ancha.

Ejercicio 5

Respuesta libre.

Lección 14. Fonema /y/

Ejercicio 1

mayo, payo, poyo, cayado, raya, suyo, rayo, payaso, mayordomo, mi yate, la hierba

yegua, cónyuge, enyesar, inyección, con hielo, un yugo, el yerno, el yogur

Ejercicio 2

mayúscula	mayor
playeras	hiena
hiedra	leyes
reyes	plebeyo
tuyos	yema
hierro	

Ejercicio 3

los yernos	enŷesado
algunos yugoslavos	el ŷeso
desayuno	mayordomo
mi yegua	reyerta
un ŷerro	

 ■ Respuesta libre.

Ejercicio 4

pollo / poyo	bollo / boyo
callado / cayado	valla / vaya
halla / haya	olla / hoya

 Ejercicio 5

La yegua resbaló en el ŷelo y se cayó.

Las lluvias de abril hacen a mayo florido y hermoso.

La yema del huevo es amarilla.

La valla que rodea mi casa está toda cubierta de yedra.

No es bueno andar por la arena de la playa sin playeras.

Lección 15. Fonema /ļ/

 Ejercicio 1

llamada, llorar, lluvia, llave, llano

pollo, collar, castellano, allí, callar

 Ejercicio 2

llavero, medalla, silla, toalla, llevar, paella

Ejercicio 3

malla / mala	lana / llana
allá / Alá	cala / calla
hallada / alada	Camila / camilla
pilla / pila	Milán / Millán
sello / se lo	muele / muelle

Ejercicio 4

■ Respuesta libre.

Ejercicio 5

Respuesta libre.

Ejercicio 6

buche / bulle	hache / halle
cacha / calla	eche / elle
tacha / talla	racha / ralla / raya
bache / valle	hacha / halla / haya
bicha / villa	hucha / hulla / huya

Ejercicio 7

Lección 16. Fonema /ɲ/

 Ejercicio 1

ñoño, año, eñe, niño, engaño, pestaña, cañamón, cañón, uña, cuñada, pañal, añil, España, legaña

 Ejercicio 2

pañuelo	colonia	Antonio
niño	mono	carantoña
caña	limonero	puñal
ceñido	demonio	maño

 Ejercicio 3

caña / cama	sueña / suena	añejo / anejo
año / amo	maño / mano	ordeñador / ordenador
maña / mama	eñe / ene	moño / mono

Ejercicio 4

Posibles respuestas

El señor Núñez se marcha mañana.

La muñeca de la niña tiene sueño.

El sueño de este año es aprender español.

 ### Ejercicio 5

Espania, colonia, **unia, suenio, Jordaña,** ponía, engaño, ingenio, Chechenia, unió, demonio, **legania**

1. Respuesta libre.

 2. Respuesta libre.

Lección 17. Fonema /k/

 ### Ejercicio 1

cabeza, color, cuchara, colonia, coliflor

macuto, cerca, médico, zoco, disco

queso, quince, quemadura, querido, quijote

aquí, paquete, máquina, izquierda, chiquillo

cruz, cristal, crema, cráneo, crimen

escritor, describir, increíble, hipócrita

clase, clima, clásico, cloro, clavel

aclarar, incluir, esclavo, conclusión

kikirikí, kilómetro, kilo

Ejercicio 2

quijote	buque
química	kilo
mosca	turquesa
cocodrilo	ocre
barco	coqueta
oculista	kurdo

Ejercicio 3

Respuesta libre.

Ejercicio 4

Respuesta libre.

Ejercicio 5

Posibles respuestas

casa	quemar
queso	vacas
caña	loca
muñeco	comer
cosa	pico
poco	quiso
saco	querer

Ejercicio 6

El agua de Alcalá contiene mucho cloro.

Claudia, cuando monta en bicicleta, siempre lleva casco.

El queso manchego se hace con leche de vaca y de oveja.

Quiero que te pongas una chaqueta.

Hoy voy a comer unas riquísimas croquetas.

Lección 18. Fonema /g/

Ejercicio 1

goloso, guapo, gallina, guerra, guitarra, en Granada, gracioso grito, grueso, globo, glorieta

con guantes, fango, cíngara, tango, bengala, ninguno, sin ganas

Ejercicio 2

Respuesta libre.

Ejercicio 3

1. guerrero	9. son goles
2. gato	10. grillo
3. grande	11. con gas
4. guinda	12. gustar
5. cien galletas	13. gripe
6. gruta	14. sin gracia
7. un globo	15. guapo
8. inglés	16. glotón

 ■ Respuesta libre.

 Ejercicio 4

gobierno, gasolina, Inglaterra, guante, gramo

Ejercicio 5

agosto, fuego, hogareño, lugar, los gatos, cargo, pulgar, musgo, noviazgo, peregrino, sagrado, agresivo, iglú, regla, paragüero, el golpe, es gracioso

Ejercicio 6

Respuesta libre.

Ejercicio 7

1. mago	9. hogar
2. seguro	10. somos golosos
3. amigo	11. la grupa
4. lagarto	12. cigüeña
5. águila	13. es gratis
6. el gato	14. regular
7. agrio	15. igual
8. diez grados	16. siglo

Ejercicio 8

Ejercicio 9

globo	grosero	agradar
anglosajón	gruñón	glotón
grupo	ingle	glosario
engreído		

Ejercicio 10

paraguas	guinda	guijarro
pingüino	antiguo	paragüero
guante	ceguera	guisar
cigüeña		

Ejercicio 11

angustia	angosto	fisgón
grupa	algo	margarita
ingle	engaño	mago
pegamento	degustar	emigrante
regalo	domingo	húngaro

Ejercicio 12

La niña es guapa.

Gato con guantes no caza ratones.

Hugo tiene gafas y bigote.

Los guantes de mi amiga Angustias están llenos de agujeros.

Pon el paraguas en el paragüero para no manchar el suelo de agua.

Ejercicio 13

Respuesta libre.

 ### Ejercicio 14

casa / gasa	guiso / quiso	traga / traca
casto / gasto	galgo / calco	toga / toca
coloso / goloso	gatear / catear	rasgo / rasco
callo / gallo	galesa / calesa	pego / peco
cala / gala	goma / coma	ruega / rueca

 ### Ejercicio 15

graso / craso	cachas / gachas	comba / goma
goleta / coleta	gordillo / codillo	guapa / cuaja
cosa / goza	calco / galgo	gorro / corro

 ■ Respuesta libre.

 ### Ejercicio 16

La ƀođega đe mi tío Pepe tiene muchas ƀotellas.

Sírƀeme un buen baso đe ƀino, por faƀor.

La cateđral de Cuenca es muy grande.

Nos gusta tocar la gaita gallega.

Las ƀufandas đe colores son diƀertiđas.

Los đías đe đescanso me tomo el desayuno en la terraza.

 ■ Respuesta libre.

Lección 19. Fonema /x/

 Ejercicio 1

jamón, joven, juego, jilguero, jefe, gerente, gitano, gigante

viejo, paje, pájaro, perejil, plumaje, vegetariano, agitar, agenda, ágil

 Ejercicio 2

girasol, gente, jarabe, jota, ceja, agente, rojo, dejar, lejos,

juguete

 Ejercicio 3

baja, jarra, hijo, liga, rogó

■ Respuesta libre.

Ejercicio 4

Respuesta libre.

Ejercicio 5

Respuesta libre.

PARTE IV. LA ACENTUACIÓN

Ejercicio 1

ce-ni-ce-ro	ta-ba-co
li-bro	cár-cel
lám-pa-ra	des-per-ta-dor
te-le-vi-sión	des-pe-di-da

Ejercicio 2

Posibles respuestas

caro, roca, rica, copa, suban, enfermo, capa, moco, anca, banco, coma

Ejercicio 3

El español es una de las lenguas más importantes del mundo.

Ejercicio 4

1. [ba-ca-llo]: caballo
2. [lé-te-no-fo]: teléfono
3. [sar-tén]: sartén
4. [no-güi-pin]: pingüino
5. [ta-ma-ce]: maceta
6. [ve-a-ni-da]: avenida

Ejercicio 5

OR	DE	NA	DOR	PE	NO	DIS
CAS	DO	FRI	COS	LU	CA	CO
MA	MAR	RA	TÓN	FER	MU	DU
RIS	CO	DI	TEZ	MAR	TAR	RO
TRO	TO	ZAS	CUL	ER	COS	NA
AL	FOM	BRI	LLA	TRAS	TI	FA
JA	JI	CAN	CU	QUE	NE	JI
ÑO	LE	DOR	CAR	DO	TRU	MAS
NA	TO	DIL	CLA	CO	FRE	VA
TA	RRE	TE	NI	BAS	NAS	TER
VEN	SAL	TOR	DIR	LLA	TA	PAN

Ejercicio 6

1. calabaza
2. diseño
3. mechero
4. cantante
5. plátano
6. maletín
7. niños
8. flor
9. están
10. unos
11. manzana
12. pájaro
13. culebra
14. enfermedad
15. Cáceres
16. conductor

Ejercicio 7

1. sábanas	11. azúcar	21. álbum
2. sartén	12. cárcel	22. túnel
3. mecánico	13. cómic	23. número
4. cáscara	14. mágico	24. época
5. sábado	15. anís	25. fábrica
6. adiós	16. jamás	26. género
7. ágil	17. corazón	27. débil
8. lápiz	18. bebé	28. ángel
9. cordón	19. viví	
10. café	20. menú	

 ■ Respuesta libre.

 Ejercicio 8

marroquí	autobús	cené
Navidad	color	soledad
después	mamá	canción
cristal	clavel	detrás
mesón	maletín	amistad
papel	reloj	

■

vocal	-n	-s	consonante (no n, s)
marroquí	mesón	después	Navidad
mamá	maletín	autobús	cristal
cené	canción	detrás	papel
			color
			clavel
			reloj
			soledad
			amistad

SOLUCIONES

Ejercicio 9

carta	terreno	tijeras
azúcar	Rodríguez	difícil
útil	llaveros	fósil
perro	joven	cárcel
mudo	Cádiz	molino
franceses	ángel	

■

vocal	-n	-s	consonante (no n, s)
carta	joven	franceses	azúcar
perro		llaveros	útil
mudo		tijeras	Rodríguez
terreno			Cádiz
molino			ángel
			difícil
			fósil
			cárcel

Ejercicio 10

cámara	sílaba
sábana	época
lógica	lámina
cálido	máquina
número	médico

Ejercicio 11

útiles	dóciles
fáciles	inútiles
ágiles	túneles
jóvenes	exámenes
lápices	cárceles

Ejercicio 12

rápidas	diamante	jabalí
oreja	tarántula	pólvora
procesión	dátil	polvorón
guitarra	mesilla	cíngara
color	cántico	

agudas	llanas	esdrújulas
procesión	guitarra	cántico
polvorón	diamante	pólvora
jabalí	dátil	rápidas
color	mesilla	cíngara
	oreja	tarántula

 Ejercicio 13

salvación, sopor, Toledo, dáselo, cálido, camino, gusano, primavera, orfeón, calamidad, carácter, compañero, acompáñame, regálalas, ordenador, sábado, Velázquez, español, fábrica, caótico

Ejercicio 14

Respuesta libre.

 Ejercicio 15

salto / saltó	hábito / habito / habitó
amaras / amarás	cántara / cantara / cantará
esta / está	médico / medico / medicó
amo / amó	ánimo / animo / animó
mimo / mimó	límite / limite / limité

■ Respuesta libre.

Ejercicio 16

toco / to**có**	**ley** / le**í**	**ca**se / ca**sé**
célebre / cele**bré**	es**tu**dio / estu**dió**	**ha**lla / a**llá**
marco / mar**có**	**rey** / re**í**	**hay** / a**hí**
ri**zó** / **ri**zo	re**zó** / **re**zo	ro**bó** / **ro**bo
pe**só** / **pe**so	a**sé** / **a**se	**ho**y / o**í**

PARTE V. LA ENTONACIÓN

 a) Ha empezado a nevar.

b) ¿Ha empezado a nevar?

Ejercicio 1

sol, el sol, ha salido el sol, un cuento, lee un cuento, la abuela lee un cuento, en casa, como en casa, hoy como en casa

■ Respuesta libre.

Ejercicio 2

¿Dónde vives? ¿Cómo te llamas? ¿Qué quieres? ¿Quién viene? ¿Cuánto cuesta? ¿A quién te pareces? ¿Cuándo tienes el examen? ¿Con qué estás escribiendo?

■ Respuesta libre.

Ejercicio 3

¡Feliz cumpleaños! ¡Bravo! ¡Qué bonito apartamento! ¡No me digas! ¡Qué mañana tan larga! ¡Ha salido el sol! ¡Qué sorpresa!

■ Respuesta libre.

Ejercicio 4

No te muevas.

Vuelve pronto.

Calla y come.

Estate quieto.

Ponte el sombrero.

Estudia más gramática.

No fumes tanto.

Comed despacio.

Sal de ahí.

Baja el volumen de la televisión.

■ Respuesta libre.

Ejercicio 5

¿Te vas? ¿Quieres más? ¿Todavía está durmiendo? ¿Tenéis clase mañana? ¿Vendrás conmigo de compras? ¿Te ha gustado la película? ¿Participarás en el concurso de cocina? ¿Terminaste todos los deberes?

■ Respuesta libre.

Ejercicio 6

Está lloviendo. (↘)

No entiendo la lección. (↘)

Sígueme. (↘)

Lávate las manos. (↘)

¿Quieres más? (↗)

¿Por qué gritas? (↘)

¿Cómo estás? (↘)

¿Ha venido el profesor? (↗)

¡Cuánta gente! (↘)

¡Qué calor! (↘)

Ejercicio 7

1. Te quiero mucho. (↘)

2. ¿Te encuentras mejor? (↗)

3. ¡Cuántos niños tienes! (↘)

4. Vámonos ahora mismo. (↘)

5. ¿Dónde están las llaves? (↘)

■ Respuesta libre.

Ejercicio 8

1. Hoy comienza el otoño. (↘)

2. ¿Te has puesto el sombrero? (↗)

3. Abre la puerta. (↘)

4. ¡Vivan los novios! (↘)

5. ¿Dónde has aparcado el coche? (↘)

6. ¡Qué fiesta tan divertida! (↘)

7. ¿Te importaría prestarme el collar? (↗)

8. ¿A qué hora iremos al cine? (↘)

9. Me gusta pasear por El Retiro los domingos. (↘)

10. ¡Qué simpática es Begoña! (↘)

1.

enunciativas	interrogativas	imperativas	exclamativas
Frase 1	Frase 2	Frase 3	Frase 4
Frase 9	Frase 5		Frase 6
	Frase 7		Frase 10
	Frase 8		

2.

entonación ascendente	entonación descendente
Frase 2	Frase 1
Frase 7	Frase 3
	Frase 4
	Frase 5
	Frase 6
	Frase 8
	Frase 9
	Frase 10

Ejercicio 9

Marta: Por favor, por favor, ¿me da un billete para Aranjuez?

Taquillero: ¿De ida y vuelta?

Marta: No, sólo de ida. ¿Cuánto es?

Taquillero: Son 2,7 euros.

Marta: ¿Cuánto ha dicho?

Taquillero: 2,7 euros.

Marta: ¿A qué hora sale el tren?

Taquillero: Sale cada veinte minutos.

Marta: ¿Cuándo sale el próximo?

Taquillero: Está saliendo en este momento.

Marta: ¡Qué me dice! ¡Con la prisa que tengo!

Taquillero: Lo siento, tendrá que esperar otros veinte minutos hasta el próximo.

PARTE VI. RECAPITULACIÓN

Comprensión auditiva

Ejercicio I

Camarera: Hola, chicos, ¿qué vais a desayunar?

Pepa: Quiero un café con leche y una tostada.

Ana: Yo, un té con limón.

Antonio: Para mí, un cortado.

Javier: Un zumo de naranja natural.

Pilar: Un descafeinado con la leche muy caliente y unos churros.

Camarera: ¿Algo más?

Todos: No, gracias.

Pepa: ¿Sabéis que me voy de viaje la próxima semana?

Pilar: ¡Ah! ¿Sí? ¿Adónde?

Pepa: A Budapest. Me manda la empresa a dar un curso de español.

Antonio: ¡Qué suerte! ¿Has estado antes en esa ciudad?

Javier: Me han dicho que es muy bonita.

Pepa: No, nunca he estado; pero a mí lo que me da miedo es el viaje en avión.

Ana: No eres la única que tiene miedo a los aviones, porque yo les tengo pánico.

Javier: ¿Por qué tenéis tanto miedo al avión? Es el medio más seguro para viajar.

Ana: Eso es cierto, pero hace tres años me sorprendió una gran tormenta durante mi viaje de novios a Caracas; el avión se movía de forma violenta.

Pepa: Ésa es una de las cosas que más me asusta.

Antonio: Muchas personas antes de viajar se toman un tranquilizante. Haz tú lo mismo, así irás más relajada.

Pepa: ¿No me dará sueño? Tengo que cambiar de avión en París porque mi vuelo no es directo.

Antonio: No, no creo, tómate un tranquilizante suave, como una o dos tilas, por ejemplo.

Ana: A mí ni con cien tilas se me va el miedo.

Javier: Pues, Pepa, distráete: lee un libro, revistas, habla con tu compañero de viaje...

Pepa: Gracias por vuestros consejos, ya os contaré cómo me ha ido.

Soluciones

1. b
2. c
3. b
4. b

Ejercicio 2

Señores clientes, hoy tenemos las siguientes ofertas: arroz Socarrat, 0,81 euros el kilo. Aceite de oliva El Olivico, 1,92 euros el litro. Azúcar El Goloso, 0,65 euros el kilo.

Y no se pierdan la gran oferta, dos cajas de galletas Ñam, Ñam por el precio de una.

El coche con matrícula de Madrid 2880 KW está mal aparcado; se ruega a su propietario que lo retire.

Tenemos todo para la Navidad: árboles artificiales, adornos, belenes, y para la mesa, un gran surtido de carnes: pavo, cordero, cochinillo; así como pescados y mariscos; dulces: turrones, polvorones, mazapanes y toda clase de vinos. Les recomendamos visitar nuestra bodega. Gracias por comprar en los supermercados Compreguay.

¡Atención, atención! Se ha perdido un niño de tres años vestido con pantalón rojo, jersey azul marino y zapatitos azules; su nombre es Lolo. Por favor se ruega a sus padres pasen a recogerlo en información.

Soluciones

1. c
2. b
3. c
4. a

 Ejercicio 3

Viajes La Imperial le ofrece una visita de un día a Toledo, ciudad de las tres culturas. La visita incluye el viaje de ida y vuelta desde Alcalá de Henares, guía turístico y comida, por sólo 34,86 euros.

La salida será el próximo sábado seis de diciembre a las 8.30 h de la mañana desde la plaza de Cervantes de Alcalá. La llegada a Toledo está prevista para las 10 h aproximadamente. Se iniciará el recorrido con una visita guiada al Alcázar, a la catedral y al monasterio de San Juan de los Reyes.

A las 13.30 h, comida típica toledana en el restaurante El Cazador. El menú: sopa castellana, carne de venado y mazapanes.

A las 15 h, continuación de la visita a las sinagogas, Casa de El Greco, mezquita árabe y palacio de Santa Cruz. De 18.30 h a 20 h, tiempo libre para adquirir recuerdos de Toledo o pasear.

A las 20 h, salida de la plaza de Zocodover para volver a Alcalá de Henares.

Soluciones

1. c
2. c
3. b
4. c